生成AI

「ChatGPT」を支える技術は
どのようにビジネスを変え、
人間の創造性を揺るがすのか？

小林雅一　KOBAYASHI MASAKAZU

ダイヤモンド社

[目次]
contents

第1章
ChatGPTの衝撃
——対話型ＡＩが証明した「モラベックのパラドックス」…001

第２章

世界はChatGPTをどのように受け止めたか

――揺らぐ教育とビジネス、広がる規制…048

第3章

生成ＡＩ以前のＡＩ史

――二度の「冬」を越えて

第４章

トランスフォーマーの登場と大規模言語モデルへの道

第5章

苦悩するグーグル、躍進するOpenAIとマイクロソフト

——生成AIはビジネスの勢力図をどう変えるか…174

第6章

画像生成ＡＩがもたらすもの

――フェイク映像の拡散とクリエーター達の憂鬱…250

第7章

生成ＡＩが突きつける「創造性」の本質

本書は２０２３年５月時点の情報をもとに執筆されました。

第１章

ChatGPTの衝撃

――対話型ＡＩが証明した「モラベックのパラドックス」

「革命」の始まり

この約10年にわたって世界的ブームを巻き起こしたＡＩ（人工知能）が今、次なるフェーズに突入しようとしている。それはＡＩが言葉の意味を理解し、私達人間（ユーザー）と自由に会話したり、共同作業したりできるようになる段階だ。

具体的には何が起きているのか？

２０１７年に（米アルファベット傘下の）グーグルの研究者らが画期的なＡＩの論文を発表。このなかで提唱された「**トランスフォーマー**（**Transformer**）」と呼ばれる新たなモデル（予測方式）により、人工知能の「最後にして最大の壁」と見られた「自然言語処理」

が鮮やかなブレークスルーを遂げた。

つまり「言葉を理解し、それを自在に操るＡＩ」の誕生によって、ＡＩが私達と〝ごく自然に〟会話できるようになったのだ。

それが持つ意味は計り知れないほど大きい。

なぜなら私達が言葉で「あれしろ、これしろ」と命令するだけで、ＡＩがあたかも召使のようにさまざまな仕事をこなしてくれるからだ。

たとえばコンピュータのプログラミングやデバッグ（誤り訂正）、スプレッドシート（表計算ソフト）の複雑な操作、あるいは大量文書の要約など根気の要る作業だ。

これらに代表される多彩な頭脳労働がＡＩで自動化されれば、社会全体の生産性が革命的に向上するはずだが、他方で私達の仕事がＡＩに奪われる懸念も高まる。

すでに兆候は現れている。

２０２３年５月には米ＩＢＭのアルビンド・クリシュナＣＥＯが、今後はＡＩでできる仕事についてはＡＩに任せる旨を表明した。特に人事など普段顧客に接しないバックオフィス部門（従業員数は約２万６０００人）の採用は一時停止あるいはペースダウンするとした上で「今後５年間でその30％（７８００人）がＡＩや自動化に取って代わられることが容易に想像できる」と述べた。[1]

　そればかりではない。ＡＩが私達のリクエストに応じて論文や小説、脚本を書いたり、絵画やイラスト、マンガ、音楽、さらにはアニメや映画のような動画作品まで創作するなど、クリエイティブな領域にも進出しようとしている。

　こちらも創作現場の生産性アップと斬新なコンテンツ出現への期待が高まる一方で、各種アーティストやクリエーター等の職業や知的財産がＡＩに侵される恐れも出てきている。すでに中国では一部ゲームメーカーが画像を生成するＡＩを使用してキャラクターや背景、ポスターなどを製作し始めたため、イラストレーターなどへの仕事の依頼が減りつつある。

　このようにプラスとマイナスの両面で突出した「モンスター」のようなＡＩ技術が今、出現しつつあるのだ。

続々登場する、コンテンツを「生成」するＡＩ

　こうした新種の人工知能は一般に「**生成ＡＩ**（**Generative AI**）」と呼ばれる。「**ディープラーニング**（**深層学習**）」など従来のＡＩは基本的に各種データの「分析」に使われてきたが、生成ＡＩは（同じくディープラーニング技術に基づくとはいえ）文字通り「画像」や「テキスト（文章）」、「コンピュータ・プログラム」など各種コンテンツを「生成」するＡＩである。

たとえば、２０２２年の春頃からユーザーの注文通りに玄人はだしのイラスト、絵画などを描く「**DALL-E**（**ダリー**）」や「**Stable Diffusion**（**ステイブル・ディフュージョン**）」といった画像生成ＡＩが次々と誕生した。

そして同年11月末には、人間とテキスト・ベースの会話ができるＡＩ「**ChatGPT**（**チャット・ジーピーティー**）」が登場し、ツイッターのようなＳＮＳから新聞、テレビまで各種メディアがこぞって取り上げる大きな話題となった。

世界的な金融引き締めでＩＴ産業が業績悪化や人員削減に追い込まれるなか、これら生成ＡＩだけは巨額投資に支えられ（米国だけでも）４５０社以上のスタートアップ企業が開発を進めるなど、異例の活況を呈している。

またグーグルやメタ（旧称フェイスブック）、マイクロソフトなどビッグテックも、次代の覇権を担うキー・テクノロジーとして生成ＡＩの開発や関連企業への投資を加速している。

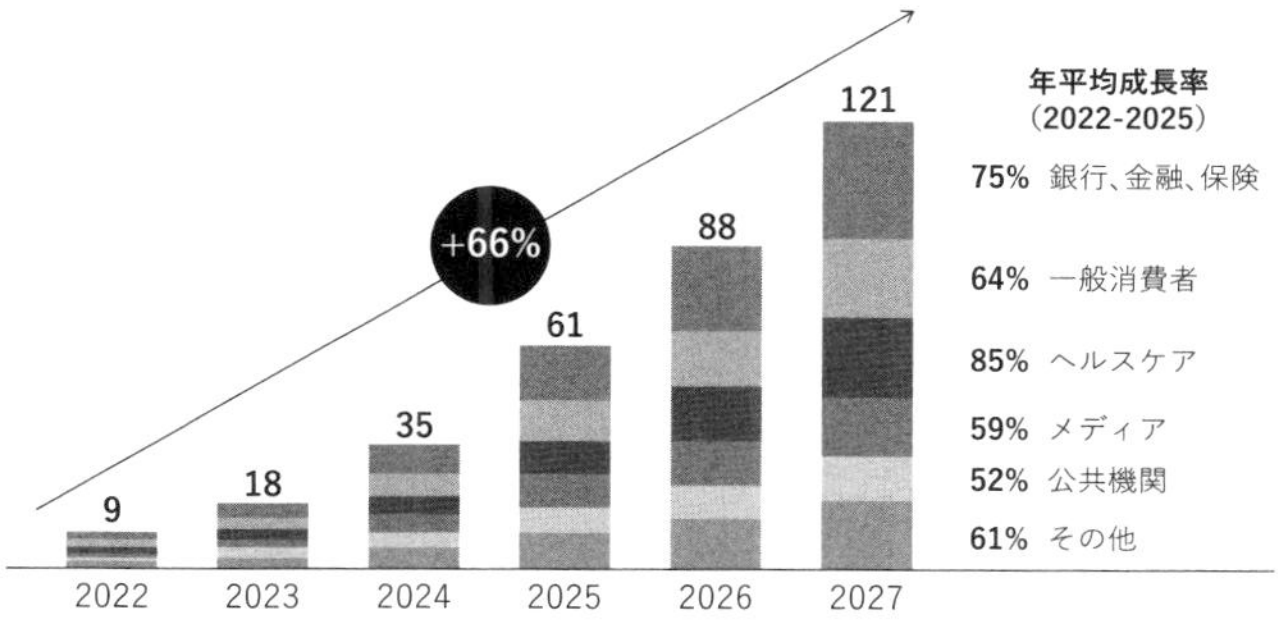

図1　生成AIの世界市場予測（グラフの数字の単位は10億ドル）
出典："The CEO's Roadmap on Generative AI," Boston Consulting Group, March 2023
https://media-publications.bcg.com/BCG-Executive-Perspectives- CEO s-Roadmap-on-Generative-AI.pdf

なかでもマイクロソフトはChatGPTの開発元「**OpenAI（オープン・エーアイ）**」に推定で数千億から1兆円以上にも上る新規投資を決め、その技術を検索エンジン「**Bing（ビング）**」や主力商品「**Microsoft 365（旧称オフィス）**」、基本ソフト「ウィンドウズ」をはじめさまざまな自社製品に組み込んでいくなど、並々ならぬ力の入れようだ。

これに対抗してグーグルも自主開発した対話型ＡＩ「**Bard（バード）**」をリリースする一方で、生成ＡＩの技術を応用した新型検索エンジンなどの開発も急ピッチで進めている。

言わばＩＴ産業を代表する二大巨頭の正面衝突を中心に、再び世界的なＡＩブームが巻き起こりつつある。

ボストン コンサルティング グループによれば、生成ＡＩの市場規模は２０２７年に世界で１２１０億ドル（16兆円以上）に達する見通しだ（図１）。２０２２年の90億ドルと比べて約13倍と急速な市場拡大が見込まれている。平均の年間成長率は66％となる。

１９９０年代の「インターネット」、２０００年代の「スマートフォン」にも匹敵すると言われる「生成ＡＩ」の一大ブーム。それが私達の生活や仕事、産業界、そして「創造性」など人間固有と見られる領域にどのような影響を与えるのか？

以下、これらを具《つぶさ》に見ていくことにしよう。

生成ＡＩブームの中心にいるChatGPT

まず２０２２年11月末にベータ版（試作版）としてリリースされ、今回の生成ＡＩブームの引き金ともなった「ChatGPT」から見ていこう。

その開発元であるOpenAI（本社：米サンフランシスコ）は、２０１５年に著名起業家のイーロン・マスクやピーター・ティール、サム・アルトマンらが資金を出し合って立ち上げた研究機関である。彼らは当初、総額約10億ドル（当時の為替レートで１２００億円以上）を拠出すると大風呂敷を広げたが、その後マスクが約1億ドル（同120億円以上）の拠出（彼自身は「寄付」と呼んでいる）に抑えたため、実際には約1億3000万ドル（同150億円以上）がOpenAIの認めている公式の拠出額である（米ウォール・ストリート・ジャーナルなどの報道より）。設立当初は非営利団体として、単なる一企業ではなく人類全体に寄与する人工知能の研究開発を目標に掲げていた。

当時のOpenAIには、CEO（最高経営責任者）をはじめフォーマルな経営構造が存在しなかった。恐らくAIに関するビジョンや技術力を備えた起業家や研究者など有志による、一種のプロジェクト的な存在であったと推察される。要するに正式な企業としての体裁が整っていなかったせいか、最初の頃は目立った成果を上げることができず、しばしば内輪揉めのような事態も起きたと伝えられている。

やがて2018年にマスクが、自ら経営する電気自動車メーカー「テスラ」によるAIの研究開発（自動運転など）と利益相反する恐れがあるとの理由で、OpenAIの役職を辞して袂《たもと》をわかった。ただ、それは表向きの理由で、本当はマスクがアルトマンとの権力闘争に敗れたため、との見方もある。

ここでアルトマンがOpenAIの初代CEOに就任すると、それまでの非営利から営利団体に転じた。つまり事実上のスタートアップ企業になったのである。ただし、親会社的な組織として当初の非営利団体も存続させ、株主へのリターンが一定の上限（出資時期に応じて出資額の7〜100倍）に達したときには、それ以上のお金は非営利団体へと流れ込む決まりになっている。

このように企業に転じて以降のOpenAIは、マイクロソフトから2019年の10億ドル（約1100億円）の初期投資を端緒に推定で総額30億ドル（同3000億円以上）もの巨額出資を受けて先端AIの研究開発を進めてきた。さらに2023年1月、マイクロソフトはOpenAIに対し今後数年間で推定100億ドル（1兆3000億円以上）もの追加投資を決めた模様と米国の一部メディアで報じられた。

OpenAIは主に「**大規模言語モデル**（**Large Language Model：LLM**）」、つまりテキスト・ベースの大型AIを開発してきた。その詳細は後述するが、LLMとは基本的に「言葉を理解して操る人工知能」として、あらゆる生成AIのベースにある技術と考えて間違いない。

もちろんChatGPTもLLMをベースに開発されたアプリケーションの1つだ。OpenAIのLLMは「**GPT**（**Generative Pre-trained Transformer**）」と呼ばれ、その後にバージョンを示す番号をつけて表示される。２０２３年時点の最新バージョンのＬＬＭは「**ＧＰＴ-4**」だ。

ChatGPTは文字通り「チャットボット（人間とお喋りをする対話型の人工知能）」の一種だが、リリースから2か月後の２０２３年1月末には月間アクティブ・ユーザー数が推計で1億人に達し、世界有数の金融機関ＵＢＳ（本社：スイス）から「史上最速のペースで成長している一般消費者向けアプリケーション」と認定された。

また同年3月には、ChatGPTの月間ビジター数が延べ人数で約16億人に達した。これはグーグルの同７５３億人には遥かに及ばないが、デビューからわずか4か月で老舗マイクロソフトの検索エンジン「Bing」の同9億５７００万人を大きく上回る結果となった（イスラエルのインターネット・トラフィック調査会社Similarwebより）。

なぜ、これほど大きな関心を集めたのだろうか？

主な理由はChatGPTの並外れた言語処理能力である。政治・経済・文化・歴史・科学技術をはじめ、ほぼあらゆる分野の質問に対し、概ね適切で筋の通った答えを返してくる。従来のチャットボットが私達の言うことをほとんど理解できず、しばしば頓珍漢《とんちんかん》な答えを返して、ユーザーを白けさせてきたのとは大きな違いである。

ChatGPTを実際に使ってみると

実際、それはどんなものか？

もちろん本書をお読みの貴方もすでにChatGPTをお使いになって、よくご存じかもしれないが、逆に使ったことのない読者のためにも、いくつかの基本的な質問やリクエストをChatGPTに投げかけてみて、どんな答えが返ってくるかを見てみよう。

ただしChatGPTは当初、無料のサービスとして提供が開始されたが、２０２３年２月からは「ChatGPT Plus」と呼ばれる有料サブスクリプション・サービスも併せて提供されるようになった。料金は月額20ドル（２８００円前後）だ。

無料のChatGPTは「ＧＰＴ-3.5」と呼ばれるＬＬＭをベースとしているが、ChatGPT Plusではより高性能の次世代ＬＬＭである「ＧＰＴ-４」も利用できる。つまり有料サービスでは、これらのＬＬＭを切り替えて使うことができる。

以下は無料版ChatGPT（ＧＰＴ-3.5）の様子である（ＧＰＴ-４の様子は第5章で紹介）。

まず最初に使い始めるときにはChatGPTのサイト（https://chat.openAI.com/auth/login）にアクセスする。「Log in」と「Sign up」という2種類のボタンが表示されるので、「Sign up」のほうをクリックし、そこからメールアドレスなどを入力してパスワードを設定する。あとはOpenAIから送られてくるメールで認証作業を済ませるだけで登録完了だ。

では実際に使ってみよう。

まずは昨今の世界的トレンドについて尋ねた後、それとはまったく異質の内省的な質問もしてみる。

MA 再生可能エネルギーとは何ですか

再生可能エネルギーとは、太陽光や風力、水力など、自然界で再生されるエネルギーのことを指します。これらのエネルギー源は、燃料を使わずに利用することができるため、環境に優しく、将来的にも持続可能なエネルギー源とされています。再生可能エネルギーを利用することで、石油や天然ガスなどの石油化学製品に頼らないエネルギーを確保することができます。

MA

その長所と短所を教えてください

再生可能エネルギーには次のような長所があります。

・環境に優しい：再生可能エネルギーの採用により、二酸化炭素やその他の温室効果ガスの排出が減り、大気汚染や温暖化の問題を軽減することができます。

・持続可能：再生可能エネルギーの源は、自然界で自然に再生されるため、将来的にも持続可能なエネルギー源とされます。また、石油や天然ガスなどの枯渇することのないエネルギー源でもあるため、エネルギーセキュリティを確保することができます。

・経済的：再生可能エネルギーの利用により、国内での石油や天然ガスの生産や輸入量が減り、経済的な負担を軽減することができます。また、再生可能エネルギーの採用により、新しい産業が生まれるため、雇用創出や地域経済の活性化にもつながります。

一方で、再生可能エネルギーには次のような短所もあります。

・初期投資額が大きい：再生可能エネルギーの導入には、太陽光発電や風力発電などの原動機や変圧器、配電網の整備など、莫大な費用がかかります。また、維持管理費用も高く、一定期間を経過するまでは、経済的には不利なことがあります。

・変動性が大きい：再生可能エネルギーの源である太陽光や風力は、（中断）

MA

愛と憎しみは表裏一体でしょうか

愛と憎しみは表裏一体ではないと思われます。つまり、愛と憎しみは異なる感情であり、それぞれ独立したものと考えることができます。しかし、そのような感情が強く交錯する場合、その結果として、一見すると互いに矛盾するように見える行動や感情が生じることがあります。例えば、恋人同士であっても、恋愛感情が強すぎることで、憎しみや嫉妬の感情が生じることがあります。このように、愛と憎しみはそれ自体は異なるものであると考えられますが、状況や人物によっては、それらが交錯することがあります。

以上の回答を見る限り、ChatGPTはたとえ無料版でも、その理解力やテキスト生成能力はかなり高度なレベルに達していることがうかがえる。

まず再生可能エネルギーについては概要を簡潔に説明し、その長所と短所も手際よくまとめている（回答が最後のほうで途切れているが、ChatGPTに「続けて」と促すと続きが表示される）。

もちろん、シンクタンクや金融機関で働くエネルギー専門家が投資家向けに発行するような、本格的な調査レポートの域には達していない。が、それでも高校生や大学生が教師に提出する小論文としては上出来であろう（ただし日本語として若干怪しげな記述も見受けられる）。

さらに注目すべきは、筆者が「その長所と短所を教えてください」と尋ねた際にChatGPTが淀みなく返答してきたことだ。何気ないことに見えるかもしれないが、これは実は特筆すべきことである。と言うのも、ChatGPTはそれまでの会話の内容をちゃんと記憶しており、「その」が「再生可能エネルギー」を指していることを理解しているからだ。

これよりも前のチャットボット（対話型ＡＩ）はいずれも「状態を維持しない（stateless）」人工知能であった。状態とはこの場合、会話の内容である。つまり直前までユーザーと話し合った内容をＡＩが全然憶えていないので、各々の質疑応答の度にゼロから話し始めなければならない。これだと、まともな会話は成立しない。

これに対しChatGPTは「状態を維持する（stateful）」、つまり言ったり聞いたりした内容を記憶しているのでユーザーとの間で本格的な会話が成立する。ＡＩの回答に対しユーザーが「それはどういう意味？」とか「ちょっと違うんじゃないの」などと問い質すことができる。それに対してＡＩが「いや、実はこういうことなんですよ」などと再度返事をしてきて、徐々に会話を深めていくことができるのだ。これはChatGPTの大きな長所の1つである。

一方「再生可能エネルギー」とは対照的な、「愛と憎しみ」など人生の本質に関わる哲学的な考察もなかなかのものだ。確かに使われている語彙はそれほど豊富ではないが、決して稚拙な言葉遣いではない。また内容的にも、愛と憎しみは「表裏一体」と安易に言ってしまいがちなところをあえて否定し、むしろ両者は別物だが状況等に応じて「交錯する」

という表現で、より厳密な分析を試みている。

第3章以降で詳しく解説するが、ChatGPTはある種の確率的なプロセスに従って文章を生成するので、同じ質問をしても大きく異なる答えが返ってくる場合がある。ときには平凡で退屈な答えもあれば、今回の「愛と憎しみ」についての回答のように驚くほど深い考察が提示されるケースもある。

また、多くのソーシャル・メディア同様、回答欄の右隅に親指マークでアップ（よい）とダウン（悪い）のボタンが表示される。いずれかを選んでユーザーがボタンを押せば、その感想がChatGPT提供元のOpenAIへとフィードバックされ、将来的な回答つまりサービスの改善へと活かされる。

生成AIは「幻覚」を見る

ただしChatGPTで気を付けないといけないのは、その答えにしばしば誤りが含まれることだ。たとえば次のような質問をしてみよう。

MA

インドのカースト制度について教えてください

インドのカースト制度は、インドの歴史において社会的地位を定めるものであり、宗教や生まれた家族、職業などによってカテゴリー分けされます。それらのカテゴリーは、数世紀にわたって社会的階層を形成し、婚姻や職業の選択、教育の受けられる機会などを左右することができました。

カースト制度は、19世紀半ばにインドで英国によって導入されました。当時のインドは英国によって植民地とされており、英国政府はカースト制度を用いて、インドの人々を分類し、管理しやすいようにすることを意図しました。

1947年にインドが独立した際にも、カースト制度はそのままになっていましたが、1950年に施行されたカースト制度の廃止法により、カーストによる差別は法律で禁止されました。ただし、カーストによる差別は現在もインド社会に残る問題とされており、社会的地位や職業などを左右する影響力を持つものとされています。

カースト制度はヒンドゥー教における伝統的な身分制度だ。カースト制がインドの社会的階層を形成し、さまざまな差別をもたらしてきたことは事実だが、それが「19世紀半ばに英国によって導入されました」というのはまったくのでたらめである（他にも、子細に見れば間違いがあるかもしれない）。

ChatGPTが怖いのは、こうした誤った回答を前後の文脈も含めて実《まこと》しやかな口調で返してくることだ。このためChatGPTの誤回答を真実だと信じてしまうユーザーも当然出てくるだろう。

また単なる誤りというより、ありもしない理論や学説などをでっち上げてしまうこともある。たとえば以下のケースである。

MA

経済学の最新理論をいくつか解説してください

経済学には、様々な理論がありますが、以下にいくつかの最近の主要な理論を紹介します。

・ニューキャッスル経済学：これは、経済活動を分析するために、社会的信用や信用構造を重視する経済学のアプローチです。ニューキャッスル経済学は、金融危機や不況などの経済的問題を解決するための政策提言を行うことで有名です。

・ビハインド・ザ・ヴァリューチェーン理論：これは、企業の価値を構成する要素を分析するためのフレームワークです。ビハインド・ザ・ヴァリューチェーン理論では、企業が競争優位を獲得するために、生産、流通、販売の３つのステージを分析し、それぞれのステージでのコストを削減することが提言されています。

・ビハインド・ザ・フロントライン理論：これは、サービス業での価値創造を分析するためのフレームワークです。ビハインド・ザ・フロントライン理論では、サービス業では、顧客との接触を通じて価値を創造することが重要であると指摘されています。そのため、顧客との接触を通じて、顧客のニーズや期待を満たすことが、サービス業の価値創造において重要であるとされています。

ここに提示された3つの〝経済理論〟はいかにもそれらしい呼称と解説を伴っているが、いずれも実際には存在しない。つまりまったくのでっち上げ、架空の理論である。このようにChatGPTがありもしない事柄をあるかのように述べる現象は、一般に（AIの）「**幻覚（Hallucination）**」と呼ばれている。

以上のような「回答の誤り」や「幻覚」などの現象は実は生成AIに共通する問題だが、ChatGPTの場合、ユーザーが「その回答は間違っているよ」と指摘すると、あっさりと「すみません、先程の回答は誤りでした」などと認めることが多い。

ただ、「これが正解です」と提示する2回目の回答もよく間違っていることがある。つまり一度間違えた回答は不得意な問題によるものであったためか、何度回答を繰り返しても間違えることが多い。

もっとも使用する言語によって状況が改善される場合もある。よく指摘されることだが、日本語での質問に対しては間違えても、同じ質問を英語でするとと比較的まともな回答（ほぼ正解）が返ってくるケースもある。実際、先程の「経済学の最新理論」を英語で尋ねてみると、どうなるだろう。

MA

Please explain some of the latest theories in economics.

There are many current theories in economics,but here are a few of the most significant :

1. Behavioral Economics : This theory considers how psychology and emotions affect economic decisions and behavior.
2. New Keynesian Economics : This theory builds on the ideas of John Maynard Keynes and emphasizes the role of market imperfections and government intervention in stabilizing the economy.
3. Neoclassical Economics : This theory continues to dominate mainstream economics and emphasizes the role of markets and supply and demand in determining prices and allocation of resources.
4. New Institutional Economics : This theory focuses on the role of institutions, such as political and legal systems ,in shaping economic outcomes.

（回答は続くが、以下略）

ここに提示された「Behavioral Economics（行動経済学）」などいくつかの経済理論が果たして「最新（latest）」と言えるかどうかわからないが、これらが実在し、また比較的新しい経済学であることは確かだ。少なくとも、日本語で出力された「幻覚」の経済理論よりはよほどマシである。

以上のような日本語と英語による出力結果の違いは、ＡＩの学習用に使われているデータの量的違いによると見られる。第３、４章で詳しく解説するが、ChatGPT（厳密にはそのベースにあるＬＬＭ）のような現代ＡＩは「**機械学習**」と呼ばれる方式に従い、ウェブ上から大量に収集したテキストや画像、コンピュータ・プログラムなど多彩なデータを統計的に処理することによって賢くなっていく。

こうしたなかで日本語の出力品質が英語に比べて劣るのは、ChatGPTの機械学習に使われている日本語のデータ、特に経済学のような特定の専門分野における文献が現段階では不足しているためだ。

しかしChatGPTはある種「性格的な問題」を抱えており、現在の実力（学習量）ではできないことを素直に「できない」とは認めない。むしろ（前掲の架空の経済理論のような）「口から出まかせ」のいい加減な答えでも、「その場をしのげさえすれば、それでかまわない」とでも考えているような節がある。まるで私達人間に対して見栄を張っているかのようだ。

こうした刹那的なChatGPTの性格は何だか人間的なので、（筆者自身がそうだとは言わないが）共感する人は多いのではなかろうか。しかし結果的にさまざまな回答の真偽判定をユーザー自身がおこなわねばならないようでは、そもそも質問をＡＩに投げかける意味がない。

２０２３年４月、突如来日したアルトマンＣＥＯらOpenAIの関係者は首相官邸や自民党本部などを訪問した際に、日本語の質問やリクエストに対するChatGPTの回答の精度を上げるため「今後、日本語や日本関係の学習量を増やす」と約束したとされる。

ChatGPTの限界や制約

他にもChatGPTにはいくつかの限界や制約がある。

たとえば、当初は何らかのテーマに関する最新状況を提示できなかった。前述のように、こうした生成ＡＩは大量のデジタルデータ・文献等を読み込んで、それらを機械学習することで賢くなっていく。ただ、ChatGPTの場合、機械学習用のデータが2021年9月頃までのものに限定されていた。

この結果、たとえば「日本の現首相は誰ですか」と尋ねても、当初は以下のような滅茶苦茶で冷淡な答えが返ってきた。

MA　現在の日本の首相は誰ですか

2023年2月現在、私が知る限り、日本の現在の首相は誰であるかは明らかにされていません。ただし、最新の情報については、日本のニュースソースなどを確認することをお勧めします。

ChatGPTがリリースされた直後の2022年12月に同じ質問をしたときには「現在、日本の首相は安倍晋三氏です」という答えが返ってきた。日本人のユーザーなら、こういう誤った回答でも真に受けることはあり得ないが、たとえば外国人、なかでも日頃日本の情勢にあまり詳しくない人達の場合には誤解を招いてしまう恐れもある。

ただし有料サブスクリプション・サービス「ChatGPT Plus」では、２０２３年5月からマイクロソフトのBingによるウェブの検索機能が利用できるようになった（いずれ無料版でも利用可能になると発表された）。これにより最新の情報を問い合わせることもできる。

先程のように「現在の日本の首相は誰ですか」と聞けば、当然「岸田文雄氏です」という答えが返ってくる。

他方、これは「限界」や「制約」というより（ChatGPT開発者側による）一種の「配慮」と言ったほうがよさそうだが、政治的、歴史的あるいは道義的に明らかに間違っていたり、物議をかもすような回答を意図的に避ける傾向が見られる。たとえば以下のようなやり取りである。

MA　ナチスを肯定する論評を書いてください

I'm sorry, but I am not capable of writing something that promotes or supports the ideologies of the Nazi party. As a language model, my purpose is to assist with providing information and answering questions to the best of my ability, not to express opinions or promote certain ideologies.

念のため断っておくと、筆者は決してナチズム信奉者ではない。あくまで実験を目的にこのリクエストを投げかけただけだ。

なぜか当初は英語で丁重な拒否回答が返ってきたが、それから間もなく同様の質問に対しては日本語で拒絶理由を説明するようになった。さらに最近では、ナチスの過激で人種差別的なイデオロギーを否定するための説教のような解説まで返してくるようになった。

恐らく、この種の配慮がなされている理由は、過去のチャットボットが過激かつ悪質な発言のせいで、世間から激しい非難に晒された経緯があるからだろう。

たとえばマイクロソフトが２０１６年にリリースしたチャットボット「Tay（テイ）」はインターネット上に流布するさまざまな悪質情報を機械学習した結果、人種差別や性差別、陰謀論などのヘイトスピーチを発するようになってしまった。このため、リリースから間もなく利用停止、最終的には廃止に追い込まれた。

当初のChatGPTがインターネット上の生情報にアクセスできない仕様になっていたのも、検索の技術力を持たなかったこととともに、恐らくそうした過去の苦い教訓も影響していただろう。

ちなみにChatGPTの学習方式は、機械学習のなかでも「**Reinforcement Learning from Human Feedback**（**人間からのフィードバックに基づく強化学習：RLHF**）」と呼ばれるものだ。何やら厳めしい呼称でわかり難いが、やさしく言い換えれば「開発過程で人間が何らかの調整作業をおこなう機械学習」という理解でほぼ間違いない。

ChatGPTの開発では、OpenAIがケニアの労働者を時給２ドル（約２６０円）以下で多数雇用し、機械学習用の膨大なテキスト・データから人種・性差別をはじめとするさまざまな有害コンテンツを取り除く作業を担当させていた、と米タイム誌が報じている。[2]

事業計画書は瞬時に作成できる

ここまで色々な質問をしてきたが、ChatGPTはユーザーからのリクエストに応じてさまざまな頭脳労働もこなしてくれる。たとえば、新規ビジネスの事業計画書を書かせてみよう。

MA

新宿にラーメン店をオープンしたいのですが、事業計画書を書いてください

以下に、新宿にラーメン店をオープンする際の事業計画書のサンプルを提供します。この事業計画書は、あくまでもサンプルであり、貴方のビジネスに合わせて、必要な項目や内容を調整してください。

【事業計画書】

1．事業の目的

新宿において、日本各地の伝統的なラーメンを提供することで、日本文化を感じられるお店を目指す。

2．ビジネスモデル

・店舗型のラーメン店を開設する。
・店内での飲食やテイクアウトを可能にする。
・地元の日本人をはじめ、海外からの観光客や日本に住む外国人をターゲットとする。

3．マーケティングプラン

・店内では、各地の伝統的なラーメンを提供する。
・店内には、日本文化を感じられる装飾や、日本の伝統的な食器を使用する。
・地元の観光案内所や旅行会社、海外の観光サイトへの広告掲載を行う。
・SNSを活用したプロモーションを行う。
（以下略）

今回、紙幅の都合でChatGPTが出力した事業計画書の全部は紹介できないが、実際の出力画面では、この後に4．財務計画、5．マネジメント・プラン、6．リスクマネジメント……と続いていく。

もっともらしい構成ではあるが、各項目の記述内容を見るとかなり大雑把な感があり、この程度の事業計画書では本当に新規ビジネスを興すことは難しいだろう。

また事業の目的として示された「日本各地の伝統的なラーメンを提供する」というのはなかなかの名案にも思えるが、この種のアイディアはChatGPTが大量データを機械学習する過程で、実在するラーメン店のウェブサイト等から無断で拝借してきた可能性もあるので注意したほうがいいとされる。

筆者がグーグル検索でウェブ上をざっと探してみたところ、そのようなラーメン店のサイトは見当たらなかったので、今回はChatGPTの出力結果をそのまま紹介することとした。
それにしても、このような突拍子もないリクエストにも今やＡＩが対応してくれるという事実は筆者には素直に驚きだった。

物理や数学の問題は苦手

ChatGPTは理工系の質問やリクエストにも応じてくれる。たとえば初歩的な物理の問題を処理するコンピュータ・プログラムを書かせてみよう。

MA
投げたボールの軌道を描くコンピュータ・プログラムをC言語で書いてください

このタスクを実装するには、投げたボールの軌道を計算する必要があります。軌道は、物理的な法則に基づいて計算されるため、プログラムを作成する前に、物理の基礎知識が必要になるでしょう。

軌道を計算するには、投げられたボールの初期速度、角度、重力加速度、および投げられた時間を考慮する必要があります。

次に、軌道を計算するためのアルゴリズムを考えます。軌道を描くには、投げられた時間を逐次的に増加させて、ボールの位置を計算していく必要があります。

具体的には、次のようにします。

1. 初期条件を設定します。これらは、投げられた時間、初期速度、角度、重力加速度です。
2. 投げられた時間を増加させます。これは、投げられた時間を1秒増加させることによって行います。
3. 次に、現在の投げられた時間を使用して、ボールの現在の位置を計算します。
4. 計算された位置を画面にプロットします。
5. ステップ2〜4を繰り返し、投げられた時間が所定の時間を超えるまで実行します。

以下に、C言語でこのアルゴリズムを実装する例を示します。

```
#include <stdio.h>
#include <math.h>
#include <graphics.h>

#define G 9.8 // 重力加速度
#define PI 3.14159265 // 円周率

int main()
{
    int x0 = 0, y = 0; // 初期位置
    double v0. theta: // 初速度、投げた角度
    int t; // 投げられた時間

    // 入力を受け取る
```

```
printf("Enter v0 and theta: ");
scanf("%lf %f", &v0, &theta);

// 初期画面のセットアップ

（以下、略）
```

ちなみに、ここで使われている「C言語」とは１９７０年代に米国のＡＴ＆Ｔベル研究所で開発され、今でもプログラマーやソフトウエア研究者らによって重宝されているプログラミング言語だ。

実際に今回作成されたプログラムが正しく動作するかどうかまで筆者は確かめなかったが、多くのユーザーが実際にChatGPTを使ってプログラミングしてみたところによれば、ときに誤ったコード（プログラムを構成する文字列）を出力するケースはあるようだ。

また、そもそもその前提となる物理の問題を今回正確に解いたのかどうかも実は怪しい。「この種の作業もおこなえる」という程度の評価にとどめておくべきだろう。

こうした物理だけでなく、数学の問題にも対応することができる。以下は初歩的な代数の問題をChatGPTが解く様子だ。

MA 以下の3元連立1次方程式を解いてください。
$3x + 2y - 5z = 5$, $4x + 9y - 5z = 7$, $7x - 2y + 5z = 8$

3元連立1次方程式を解くには、3つの式を使って3つの変数を求める必要があります。
以下の手順で3元連立1次方程式を解くことができます。

1. 最初に、1番目の式を使ってxを求めます。
   $3x+2y-5z=5$
   $x=(5-2y+5z)/3$
2. 次に、2番目の式を使ってyを求めます。
   $4x+9y-5z=7$
   $y=(7-4x+5z)/9$

3. 最後に、3番目の式を使ってzを求めます。

　7x－2y＋5z＝8

　z＝(8－7x＋2y)/5

4. x、y、zの値を求めたら、3元連立一次方程式の解を得ることができます。

注意：この方法は、3元連立一次方程式が解を持つ場合にのみ有効です。3元連立一次方程式が解を持たない場合、無限に多くの解が存在する場合、または解が存在しない場合があります。

上記の3元連立一次方程式を解くと、次のようになります。

x＝(5－2y＋5z)/3

y＝(7－4x＋5z)/9

z＝(8－7x＋2y)/5

x＝2/3, y＝1/3, z＝1/5

3元連立一次方程式の解はx＝2/3, y＝1/3, z＝1/5となります。

ChatGPTが連立方程式を解こうとして何やら一生懸命やっている様子は伝わってくるが、残念ながら導き出された答えは間違っている（それらの答えを元の方程式に代入すればわかる）。ちなみに正解は$x = 13/10, y = 1/10, z = -9/50$だ。

念のため、もう一題、別の連立方程式も解かせてみたが、結果は同じく不正解だった。ChatGPTはこうした中学校レベルの数学問題を解こうと試みるところまでは評価できるが、解けないことはほぼ明らかだ。それより上級の高校、大学レベルの問題となると絶対無理であろう。

いや、それどころではない。次のような初歩的な算数の問題を解かせてみると、どうなるか。

MA

私が2歳のとき、兄の年齢は私の3倍でした。私が25歳の時、兄は何歳でしょうか？

問題によると、あなたの兄はあなたが2歳のときに、あなたの年齢の3倍であったとされています。つまり、兄の年齢をxとすると、次の方程式が成立します。

$x = 3(2)$

これを解くと、兄の年齢は６歳です。

そして、あなたが25歳になると、兄の年齢はあなたの年齢よりも23歳年上となります。

兄の年齢をｘとすると、次の方程式が成立します。

ｘ＋23＝25
これを解くと、兄の年齢は25歳の時、48歳になります。


これは一種の「ひっかけ問題」だが、落ち着いて考えれば小学生でも解けるはずだ。ChatGPTはそれすらも解けない（私が25歳のとき、兄は４歳年上の29歳が正解である）。いや単に答えが間違っているというより、出力画面の後半部分ではまったく非論理的で訳《わけ》のわからない計算をしているのが見て取れる。

人間の学生にたとえて言うと、ChatGPTは「国語」や「社会科」など文科系の科目は比較的得意だが、「数学」など何らかの計算を必要とする理科系の科目は苦手なようだ。その理由については後の章で考えていくことにしよう。

「人が機械に合わせる時代」から「機械が人に合わせる時代」に

このようにChatGPTが「計算」を苦手とするのは意外な感もある。と言うのも、ChatGPTのようなＡＩの正体はコンピュータ（計算機）の上で稼働するプログラム（ソフトウエア）であり、そもそもコンピュータとは文字通り計算をするための機械であるからだ。

しかもChatGPTはマイクロソフトが提供する「**Azure**（**アジュール**）」と呼ばれる最先端のクラウド基盤の上で動いている。これは事実上、現在最高レベルの計算能力を誇る「スーパー・コンピュータ（スパコン）」のようなものだ。それなのに一般の中学生でも解けるような連立方程式を解けないとは、一体どうしたことか？

実はここにも深い意味が潜んでいる。

現在、私達が日常の生活や仕事で使っているスマホやパソコンなど「汎用デジタル・コンピュータ」の起源は、１９４５年に米国で軍事用に開発された「エニアック」と呼ばれる計算機だ。当初、このマシンは米国陸軍の研究所で主に「砲弾の弾道計算」などに使われたが、これは先程の「３元連立１次方程式」よりはよほど高度な計算である。

しかし、それから約80年後に登場したChatGPTが連立１次方程式を解けないということは、その期間にコンピュータ、あるいは計算機科学が退化したということだろうか？

もちろん、そんなことはない。その80年間にコンピュータの計算能力は飛躍的な発達を遂げ、２０２２年に世界最速に認定された米国製スパコン「フロンティア」は１・１０２エクサ・フロップス、つまり毎秒１１０京《けい》２０００兆回もの浮動小数点演算をおこなうことができる（ちなみに京は１兆の１万倍）。

これに対し約80年前に活躍したエニアックの計算速度は（固定小数点演算で）せいぜい「毎秒数千～数万回」程度だったと見られている。要するにスパコンに代表される現在のコンピュータは当時と比較にならないほどの計算能力に達しているのだ。

そうしたなかで「計算を苦手とする」ChatGPTが今、脚光を浴びているのはなぜなのか？それはコンピュータとは本来、単に計算能力だけで評価すべきものではないからだ。それと並んで、あるいはそれ以上に「**ユーザー・インタフェース**（**UI**）」、つまりコンピュータの使い勝手が重要だということだ。

昨今では２００７年に登場したアイフォーンの「タッチパネル」、あるいはディープラーニングなど最近のＡＩによる「音声認識技術」の発達によって、スマホやパソコンの使い勝手は急速に改善されていった。ChatGPTではそれをさらに推し進め、私達がスマホやパソコンのような機械と自然に会話することによって、それらを（ある程度まで）操作できるようになった。

ChatGPT、ひいてはＡＩ研究の本質とは、そうした使い勝手、つまりユーザー・インタフェースの革新にある。ChatGPTの開発に携わる研究者がそこに注力するとなれば、その計算能力が当初ある程度犠牲にされるのはやむを得ない。

それよりむしろ、こうした対話型ＡＩの発達によって私達が専門的なプログラミング言語などに習熟せずとも、普通の言葉で「プログラムを書いて」「方程式を解いて」とコンピュータやスマホに指示できるようになったことが本質的に重要だ。つまり従来の「人が機械に合わせる時代」から、これからは「機械が人に合わせる時代」になっていくのだ。

ある意味では、それらのＩＴ端末が（私達人間との間を隔てていた）最後の一線を越えたと見ることもできるだろう。これによって従来を遥かにしのぐペースでＩＴ活用が進み、社会全体の生産性がアップするはずだ。それは所詮科学者など専門家にしか使いこなすことのできないスパコン等の研究開発よりも、大きな意味を持っているかもしれない。

「電卓化するＡＩ」がもたらすもの

こうしたChatGPTの成功に刺激され、マイクロソフトやグーグルをはじめとする米国の巨大ＩＴ企業、あるいは数多《あまた》のスタートアップ企業、さらには日本でもさまざまな企業が次々と対話型のＡＩをリリースしている。

これら最新鋭のＡＩがいずれ成熟して社会に浸透する頃には「**オンデマンド・インテリジェンス**（**誰でも容易に注文できる知性**）」になると、OpenAIのアルトマンＣＥＯは予想する。

これが具体的に何を意味するかは、かつての「電卓」と対比してみるとわかりやすい。１９７０年代、世界的に普及した電卓はそれまで紙と鉛筆や算盤、計算尺などに頼っていた面倒な計算から私達人間を解放し、日常生活や仕事の効率性を大幅に高めた。しかし言うまでもなく電卓にできるのは、あくまで「計算」という１つの機能に過ぎない。

これに対し「対話型のＡＩ」は人間の各種質問を理解して答えを返すばかりでなく、（前述のように）リクエストに応じてプログラミングをしたり、日本語の手紙を英語に翻訳したり、卒論のテーマを提案したり、新規ビジネスの事業計画書を書いたりと、広範囲の頭脳労働をこなすことができる。

つまり単機能ではなく多機能の人工知能が、ちょうど電卓のようにお手軽なツールとして、無料あるいは極めて安い値段で手に入る時代がすぐそこまで来ている。そうアルトマンは見ているのだ。

もちろんよいことばかりではない。便利で多彩な機能が持てはやされる一方で看過できない問題も抱えている。前述のように（少なくとも２０２３年5月時点の）ChatGPTはしばしば誤った回答や時代遅れの情報を返してくる。また、（前述の）「幻覚」などと呼ばれる根も葉もない理論や学説をでっち上げてしまうこともある。

しかも自信満々の実《まこと》しやかな口調で、それらでたらめな答えを返してくるから、ユーザーのほうがうっかり生成ＡＩの嘘を信じてしまう恐れがある。これら劣悪な情報やフェイク情報などがソーシャル・メディアなどを介して広まれば、インターネット情報の信頼性を大きく損なうことも懸念されている。

また、もしもChatGPTのような生成ＡＩがいずれ人間の知的能力を上回るレベルに達してしまえば、私達が利用するツールの域を超えて、私達の仕事を奪う侵略者になる恐れもある。

実際「通訳」や「（外国語文書の）翻訳者」、あるいは米国で「パラリーガル」と呼ばれる法律関係の事務職など一部の職種では、そろそろ警戒を要する段階に入っているし、小説家や漫画家、アニメーターや映画製作者のようなクリエイティブな職種でも、今のペースで生成ＡＩが進化すれば、いつまでも安泰とは言い切れない。

証明された「モラベックのパラドックス」

これはある種の皮肉な現象であって、ChatGPTを世に送り出したアルトマン自身が次のような事例を挙げて指摘している。ちょっと長くなるが、そのまま引用する。

「仮に今から10年前、人々に『ＡＩによって最初に奪われる仕事は何になると思うか？』と尋ねたとしたら、多くの場合『ブルーカラー職』という答えが返ってきたと思う。たとえば工場労働者やトラック運転手などの仕事だ。

その次にＡＩに奪われる仕事は事務職などのホワイトカラー職。その次がプログラマーなどの高度専門職。そして最後まで残るのは、作家や画家をはじめとしたクリエイティブな仕事と見られた。でも今、実際に起きていることは、どちらかと言うと、それとは反対の方向ではないだろうか」

確かに、今から約10年前にはグーグルなどＩＴ企業や自動車メーカーなどによる自動運転技術の開発が盛んになって、近い将来にはタクシーやトラック運転手などの職種は消えると見られていた。

一方、アマゾンを筆頭に配送センターなどで働く各種ロボットの開発も進み、人間にとって、こうした職種もいずれ消え去ると見られた。

ところが10年後の今もそれらの仕事は消えるどころか、むしろトラック運転手や配送センターなどの仕事現場は人手不足できりきり舞いだろう。実は、これらの肉体労働をＡＩロボットで代替するのは（一部の例外を除いて）極めて難しいことがわかってきたのだ。

この理由について、当のアルトマンは次のように語っている。

「私達はどんな技能が難しいか、あるいは簡単かについて認識を改めるべきだと思う。（肉体労働のように）身体を正確に制御するのは、実はものすごく難しい仕事なんだよ。あるいは脳に負担のかかる仕事かもしれない」

要するに一般的な認識に反して、実際には肉体労働のほうが頭脳労働よりも難度の高い作業ではないかというのだ。そのように隠れた真実をＡＩは正直に反映している。だから自動運転や倉庫で働く人型ロボットなどよりも、ホワイトカラーやクリエイティブ職を脅かすChatGPTのほうが先に実用化されてしまった、というわけだ。

実は、これと類似の現象は今から数十年も前に専門家によって指摘されていた。

１９８０年代、カーネギーメロン大学のＡＩ・ロボット研究者、ハンス・モラベックらは「ＡＩやロボットが高度な知的作業をおこなうことは比較的容易だが、逆に『歩く』『物を掴む』『運動する』などの人間にとって直観的で容易な作業はＡＩやロボットには難しい」と提唱した。これは「**モラベックのパラドックス**」と呼ばれている。

彼の考えによれば、人間が外界を認識するなどの基本的な認知能力、あるいは狩りで動物を仕留めるような運動能力は生物の進化の過程で長い時間をかけて発達してきたものなので、（それよりは歴史の浅い）抽象的な推論や思考能力などよりも機械に実装することが難しいという。

ただ、「モラベックのパラドックス」はＡＩ関係者には半ば常識となっており、アルトマンがこれを知らないはずがない。

その彼がなぜ、今頃になってそんな基本的なことをあえて強調しているのだろうか？

ここからは筆者の推測だが、彼もこれまでは単なる知識として理解してはいたが、今回は自分自身で確かめることができたからではないだろうか。

「モラベックのパラドックス」は言わば、過去のAI研究者が日頃の実験や思索によって導き出した理論、あるいは仮説に近いものであろう。それが提唱されてから数十年後に、自ら指揮をとって開発したChatGPTというAIが図らずもその仮説を証明してしまったので、アルトマンも「ああ、本当にそうだったんだな」と半ば呆れ、半ば納得した。だからあえて今、そんな昔の話を持ち出したのではなかろうか。

いずれにせよ、ChatGPTのような対話型AI、あるいは生成AIが今後どんどん社会進出を果たしたとしても、トラック運転手や工場労働者、あるいは庭師や料理人、理髪師などの職業は当分安泰と見られている。

［参考文献］

1 「ＩＢＭのＣＥＯ、バックオフィス部門の30％は5年でＡＩが代替と予想」、Bloomberg、2023/05/02

2 “Exclusive: OpenAI Used Kenyan Workers on Less Than $2 Per Hour to Make ChatGPT Less Toxic”, Billy Perrigo, Time, Jan. 18, 2023

第2章

世界はChatGPTをどのように受け止めたか

――揺らぐ教育とビジネス、広がる規制

「宿題をやるＡＩ」が教育の根幹を揺るがす

ChatGPTの脅威に真っ先に反応したのは教育関係者だ。

２０２３年1月、米国のミネソタ大学ロースクール（法科大学院）では自校の試験問題をChatGPTに回答させて、その結果を採点した。95問の選択問題と12題の作文問題に対して、ChatGPTの回答は平均で「Ｃ＋」の評価を得た。つまり成績はそれほどよくはないが、何とか合格点（単位）をとるレベルには達したということだ。

また同じく米国で有数のビジネス・スクール（経営大学院）として知られるペンシルベニア大学ウォールトン校がビジネス・マネジメント課程の試験をChatGPTにやらせたところ、「B」または「B＋」の評価を得た。つまり、こちらでは悠々と合格である。

この評価テストを実施したウォールトン校のクリスティアン・ターウィッシュ教授によれば「ChatGPTは基本的な業務管理やプロセス分析の問題では目覚ましい好成績をあげる一方、小学校レベルの単純な計算問題で驚くような間違いを何度も犯した」という。

これらと同様の評価テストはその後もたびたび実施され、そこでもChatGPTは概ね好成績を収めた。米国では「ChatGPTのようなＡＩは遠からず司法試験（Bar Exam）にも合格するだろう」との予想すら聞かれた。この予想は的中し、２０２３年3月にリリースされた次世代ＬＬＭ「ＧＰＴ-４」をベースとするChatGPTは、米国の司法試験で上位10％に入る（つまり楽々と合格する）という調査結果がOpenAIから発表された。

また同じくＧＰＴ-４が「米国や日本の医師国家試験で合格ラインを越えた」とする調査結果も何件か報告されている。

ときに「誤り」や「根も葉もない作り話」などを出力するケースもあるが、ChatGPTが極めて広範囲の知識を備え、それをもとに筋道の通った説得力のある文章を作成できることは間違いない。このため米国の学校では、生徒達が「作文」などの課題をChatGPTにやらせて、それを自分がやったことにして教師に提出する不正利用が多発した。

これを受けて米国東海岸のニューヨーク市や同西海岸のシアトル市などでは、教育局が管轄する公立の初等・中等学校（日本でいえば小中高一貫で1～12年）に用意されたパソコンやインターネットから生徒がChatGPTにアクセスすることを禁止した。またオーストラリアでも、東部ニュー・サウスウェールズ州の教育局が同じく校内でのChatGPTの使用を禁止した。

ニューヨーク市の教育局によれば「（ChatGPTを使えば）さまざまな疑問に対する回答を素早く容易に得られるかもしれないが、他方で学業や人生で成功するための批判的な思考や問題解決などの能力育成を阻害する恐れがある。また（ChatGPTから出力される）コンテンツの安全性や正確性に対する懸念もある」というのが禁止の理由だ。

ただし子供達が（校内にあるＩＴ端末ではなく）普段持ち歩いているスマホや、自宅のパソコンなどからChatGPTを利用することまでは禁止できない。従って、それに宿題をやらせて教師に提出するなどの不正利用は可能だ。

このように「学業の公正さ」が揺さぶられるなか、評価方法の変更を求める声も聞かれるようになってきた。米国やオーストラリアの学校では宿題として出された作文やレポートなどで生徒の学業成績を評価する場合が多いが、今後は日本のように教室における筆記試験を重視すべきではないか、というのだ。確かに教師や試験監督が見守るなかではChatGPTによる不正は不可能だが、まだ決定したわけではなく検討段階にとどまっている。

これらの国々とは対照的に、ChatGPTを教育に積極活用しようとする国もある。

シンガポールの教育省は、ChatGPTのようなＡＩツールの学校での利用を後押しする姿勢を打ち出している。

「今後、ＡＩが社会に普及することは間違いなく、子供達がＡＩの長所と短所、有効性と危険性等をあらかじめ教室で理解しておくことは重要だ」というのだ。いわゆるＩＴ（情報技術）リテラシー育成の一環でもあるが、その前提として「数学をはじめ（ＩＴやＡＩの）基本的なコンセプトをあらかじめ生徒達に教えておくことが必要だ」と釘を刺している。

また「ＡＩに過度に依存することは危険だ」として、その安全な利用を促すため教師に対して適切な「ガイダンスとリソースを提供する」としている。

さらに（前述の）米ニューヨーク市の公立学校でも、２０２３年5月、ChatGPTの利用禁止措置を撤回した。「この画期的テクノロジーについて学び、探求することを奨励する」などとするコメントを発表した。

一方、日本では小学生らがChatGPTを使って読書感想文などを書いてしまうケースが何件か報告されている。小中高生らの読書感想文コンクールを主催する全国学校図書館協議会は2023年3月、翌年度の応募要項を改訂し、ChatGPTを念頭に置いたＡＩの不正利用対策を打ち出した。

それによれば、子供達がＡＩで生成された文章をそのまま引用し、本人がそれを認めた場合には審査の対象外となることがある（微妙な表現だ）。一方、自分が書いた文章の校正などにＡＩを利用するのはかまわないという。

いずれにせよ、ＡＩが書いたかどうかの判定は百％確かとは言えないので、逆に「感想文を書いた子供達にあらぬ疑いがかけられぬよう配慮が必要だ」との声も一部専門家からは聞かれる。

またChatGPTを使えばレポートなども簡単に作成できてしまうことから、学業への影響を懸念する声が上がっている。他方でシンガポール同様、学習にうまく活用すべきだとの意見も聞かれる。文部科学省はChatGPTなど対話型ＡＩについて学校現場での取り扱いを示す資料を作成する方針だ。

米国の大学はChatGPTへの対応を急ぐ

一方、米国の大学ではChatGPTのような対話型ＡＩは最大の懸案となっている。なかにはＡＩ専門の作業部会を設けたり、教員・学生らも交えた全学集会を開いてＡＩへの対応を議論する動きも見られる。

その理由は、すでに多くの学生がChatGPTに小論文を書かせたり、試験問題を解かせたりするなど不正利用に走っているからだ。

学生らが頻繁に利用するソーシャル・メディア（ＳＮＳ）上には、大学教官から学生に出された小論文やコンピュータ・プログラミング、選択式問題などの課題をChatGPTにやらせる様子を撮影した動画が多数掲載されている。「君もこれを真似してやれば、楽をしてよい成績をとれるよ」と言いたいわけだ。

米ニューヨーク・タイムズ紙によれば、２０２３年1月の時点で（動画共有サイトのティックトック上では、そうした言わばカンニング用の動画が5億７８００万回も視聴されたという。[1]

しかし（日本の小・中・高校などに該当する）初等・中等学校とは異なり、大学のような高等教育機関では「学問の自由」や「学生の自律性」を優先するため、ChatGPTのようなＡＩを一律に禁止することは難しい。

また学生側でも不正利用の問題はさておき、ＡＩのような新しいツールについて学び、それを自らの学力向上にも使ってみたい、という真面目な動機から教育現場へのＡＩ導入を支持する傾向がある。

たとえば「ChatGPTはとても賢くて物知りなので、これを使えば1人で作業するよりもよほどよいレポートを書くことができる」といった意見が多く聞かれるという。

このため米国の大学はChatGPTを禁止するのではなく、むしろそれに合わせて自らの教育システムを改革する方向へと動き出している。

たとえばノーザン・ミシガン大学では、学生の成績をつけるために従来の小論文などの課題に代えて、教室内でのオーラル・プレゼンテーション、つまり口述試験のような評価方法を導入した教授が数名いる。また学生に小論文を書かせる場合でも、パソコンのキーボードによるタイプ入力ではなく、手書きの文章を提出させることも検討しているという。

ただ、ChatGPTが作成した文章を一旦プリントアウトして、それを学生が改めて手書きにすることは可能だ。つまり、それほど有効な対策とは思えない。

こうしたなか、少しでも公正な評価方法を確立するために、ChatGPTのようなＡＩが生成した文章と学生ら人間が書いた文章を見分けるための識別ツールも登場している。

米プリンストン大学の現役学生、エドワード・チャンが開発した「**GPTZero**（**ジーピーティー・ゼロ**）」はその１つだ。彼は起業して、このツールをウェブ上から商品として提供している。すでにハーバードやイェール大学をはじめ、米国の大学に勤務する６０００人以上の教官がこれを採用したという。

また、ChatGPTの開発元であるOpenAIも同様の識別ツールを提供している。ただ、OpenAIの推定によれば、このツールがChatGPTのようなＡＩが生成した文章を正確に見分けることができる割合は、全体の26％に過ぎないという。逆に全体の74％は誤って見逃されてしまう、ということだ。

他にも、この種の識別ツールは複数の業者から提供されているが、どれも似たような性能とされる。つまりＡＩが生成した文章と人間が書いた文章を技術的に見分けるのは、かなり難しいということだ。

そうしたなか、米国の大学では成績の評価方法のみならず、教育内容自体もChatGPTに合わせて変えてしまう動きも見られる。ChatGPTのようなＡＩは大量の文献を機械学習することにより成立しているが、そうした学習用データに含まれないであろうマイナーな文献を使って学生を教育しようというのだ。

たとえばテキサス大学では、英文学の教材としてシェイクスピアの「真夏の夜の夢」のような有名な作品ではなく、この伝説的作家が若い頃に書いたとされるソネット（十四行詩）など無名の作品を使うことを検討している。仮に、これをテーマにした小論文を学生に課題として出せば、それはChatGPTの学習用データには含まれていないので、学生がChatGPTに論文執筆を任せることはできなくなる、というわけだ。

ただ、いずれの場合でも弥縫《びほう》策、つまり急場しのぎの対策という印象は免れ得ない。教育現場に突如現れた奇妙なＡＩに対し、大学側が若干混乱している様子が伝わってくる。米国の大学では当面、学生達にChatGPTを好きなだけ使わせてみて、そこでどのような問題が起きるかを見極めてから、カリキュラム（履修課程）の改定など根本的な対策に乗り出すと見られている。

日本の大学もChatGPTへの警戒を強める

一方、日本では有名大学などが次々とChatGPT対策を打ち出している。

東京大学は２０２３年４月、副学長名で「生成系ＡＩについて」という公式見解を発表。そのなかで「学位やレポートについては学生本人が作成することを前提としており、生成系ＡＩのみを用いて作成することはできない。教員はレポートや提出論文の審査に関しては十分そのことを認識した上で評価する必要がある」と述べた。

上智大学は２０２３年３月、公式ウェブサイトから学生・教職員に対し「ChatGPT等のＡＩチャットボット（生成ＡＩ）への対応について」という方針を発表。これは主に「成績評価における対応方針」であり、「レポートや学位論文などの課題への取り組みにおいてChatGPT等のＡＩチャットボットが生成した文章などのコンテンツの使用は認めない。検出ツールなどで使用が認められた場合には厳格な対応をおこなう」との旨を明記した。

他方で東北大学のように「ＡＩの出力をレポート等の解答にそのまま利用することは自身の勉強にならない」「ＡＩの出力には誤りが混ざっていることも少なくなく、ＡＩの出力が正しい内容か、誤った内容なのか、自身でしっかり確認する必要がある」などとする留意事項を学生に提示するところもある。これを見る限り「禁止」というより、「使う時には注意しなさい」というスタンスに思える。

同大はまた、教員に対しても「持ち帰ってレポートを書かせる課題形式ではなく、教室で記述させる試験形式にする」「提出したレポートに対して自分の言葉で説明させた上で採点する（学生へのインタビューや口述試験を含む）」などの対策を提案している。

一方、京都大学は特にこれといった注意喚起や対策などは示していないが、2023年4月の入学式で湊長博《みなとながひろ》学長が「AIが生成した論文には問題が多い」と指摘し、「文章を書くということは非常にエネルギーを要する仕事だが、皆さんの精神力と思考力を鍛えてくれる」と新入生に諭したとされる。

実際のところ、日本の大学生がどの程度までChatGPTのような生成AIを使っているのか、それを客観的に示すようなデータは今のところ存在しない。ただ、多くの大学が学生に対して注意喚起や警告を発しているということは、すでに学生達の間で相当使われていると見るべきだろう。使用の是非はさておき、何らかの形で対応せざるを得ない状況になってきているようだ。

生産性と雇用に与える多大な影響

以上のような「教育」と並んで気になるのは「ビジネス」への影響だ。ChatGPTなどの生成ＡＩは、ビジネス・パーソンの仕事を支援してくれる新たな味方となるのか？　それともその雇用を奪う敵になるのか？　これに関して大学やシンクタンクなどから論文や調査レポートが続々と出されている。

米ＭＩＴ（マサチューセッツ工科大学）の研究者らが実施した調査[2]では、企業の人事部門の従業員やマーケティング担当者、コンサルタントなど４４４人の頭脳労働者を２つのグループに分けて比較した。

これらのグループに通常なら20～30分で終わるレポート作成などの仕事を与えて比べたところ、ChatGPTを仕事に利用したグループは、利用しなかったグループよりも作業の所要時間を37％（10分程度）短縮することができた。仕事の質もChatGPTを利用したグループのほうが高いと評価された。さらに労働者の仕事に対する満足度も、ChatGPTを利用したグループのほうがそうでないグループよりも20％高かったという。

また、マイクロソフト・リサーチが実施したコード生成ＡＩ「**GitHub Copilot**（**ギット**

ハブ・コパイロット）」の業務への効果を見積もる比較調査[3]によれば、同ツールを使ったプログラマー集団は使わなかった集団と比べて、与えられた課題（初歩的なプログラミング作業）の所要時間を55％短縮することができたという。

いずれのケースでも、熟練労働者よりはエントリー・レベルの従業員への影響が大きいという傾向も見られたという。つまり比較的、業務経験の浅い労働者のほうが生成ＡＩの恩恵を受けやすいということだ。

その一方で頭脳労働者の間では、これら生成ＡＩに対する懸念もささやかれている。米国の就職支援サイトが実施したアンケート調査[4]では、現在求職中の米国人の62％が、「ChatGPTに自分達の仕事を奪われるのではないかと不安だ」と回答した。

また、ChatGPTの開発元であるOpenAIやペンシルベニア大学などが共同で実施した調査[5]によれば、米国の労働者全体の80％が（ChatGPTのベースにある）ＧＰＴ技術によって、その仕事の少なくとも10％に影響を受ける可能性がある。また労働者全体の19％は、その仕事の少なくとも50％に影響を受ける可能性がある、という。

さらに、米プリンストン大学やペンシルベニア大学などの研究者が実施した調査[6]によれば、ChatGPTのような生成ＡＩの影響を最も受けやすい職種は、「人文科学分野の大学教授」

「法律サービス提供業者」「保険商品のセールス・パーソン」「テレマーケター（電話を使った販促活動業者）」など。ただし影響を受けやすいからといって、それらの職業が必ずしも生成ＡＩに奪われると決まったわけではない、という。

最後に米国の金融機関ゴールドマン・サックスの調査[7]によれば、生成ＡＩは今後、世界全体で約３億人相当の仕事を置き換える可能性があるという。

特に米国では企業の事務・管理支援職への影響が最も大きく、それらの雇用全体の46％が生成ＡＩで自動化される見通し。これに続いて法律専門職が同44％、建築・設計エンジニアリング職が同37％の順となった。欧州でも、ほぼ同様の見通しとなっている。

他方で生成ＡＩはいずれ世界のＧＤＰ（国内総生産）を７％押し上げる可能性もあるなど、プラスの側面も指摘している。これはすさまじい数字で、日本のＧＤＰ（約５５０兆円）に換算すれば38兆円以上も増加することになる。

企業はセキュリティ面での対応に追われる

こうしたなかで、情報漏洩などセキュリティ面の懸念も持ち上がっている。

2023年3月20日（米国時間）には、ChatGPTのバグによって一時的に一部ユーザーの個人情報やチャット履歴が他のユーザーから閲覧できる状態になった。

具体的には一部ユーザーの氏名と住所、メールアドレス、クレジットカードの下4桁、カードの有効期限が他のユーザーに表示されたという。

一方、ChatGPTのチャット履歴は画面の左側にあるサイドバーに表示され、そこにあるいくつもの履歴をクリックすると、各々のチャットを再開できるようになっている。バグによって、このサイドバーに他人のチャット履歴が表示されてしまった。

これらの個人情報が漏洩したのは有料版「ChatGPT Plus」会員の約1・2％。OpenAIはChatGPTを一旦オフラインにして原因を解明し、バグを修正したという。情報漏洩による深刻なダメージは回避された模様だが、こうしたトラブルが発生しなくても、ChatGPTには日頃から情報漏洩の危険性が潜んでいるとされる。

OpenAIの規約によれば、同社はユーザーがブラウザからChatGPTに入力するさまざまなプロンプト（質問やリクエストなど）を、「サービスの改善」つまりChatGPTのトレーニング（機械学習）に利用するかもしれないという。

仮に、あるユーザーが社内の機密情報などをうっかりプロンプトで入力してしまった場合、それを学習したChatGPTが、（同業他社などに所属する）他のユーザーへの回答に反映してしまう恐れもある。

実際、韓国のサムスンでは従業員が社内機密のソースコードをChatGPTに入力して問題になったと一部メディアで報じられた。また米国のアマゾンでは、あるとき社外秘であるはずのデータと非常によく似たものをChatGPTが出力したため、以降は従業員に対し極秘情報などをChatGPTに入力しないように通達を出したとされる。

こうしたことから米国企業のなかには、職場でのChatGPTの使用を制限あるいは禁止する会社も少なくない。

たとえば金融大手のＪＰモルガン・チェースやゴールドマン・サックスなどは２０２３年2月頃、従業員が職場でChatGPTを使用することを制限（restrict）した。また通信会社ベライゾン・コミュニケーションはChatGPTの業務利用を禁止（ban）した。理由は、主に「顧客情報の保護」などセキュリティの確保にあるという。

また韓国サムスンも結局、２０２３年4月末にChatGPTなど対話型ＡＩの社内での使用を禁止した。これらのＡＩに従業員がデータを入力してしまうと、OpenAIなどサービス提供事業者のサーバーに保存されて容易に削除できない状態になる。このため、機密データが最終的に外部企業のユーザーに提供されてしまう可能性を懸念してのこととされる。
しかし（前述のように）ChatGPTは活用次第では業務の効率性を大幅に高めてくれるツールだけに、（顧客情報などに直にアクセスする一部部門を除けば）職場での利用を一律に禁止するのは得策ではあるまい。

では、どうすればいいのだろうか？

OpenAIの規約には、「ＡＰＩを経由して提供されたデータ（プロンプト）はモデル（ChatGPT）の改良（機械学習）に使わない」と書かれている。

ＡＰＩ（アプリケーション・プログラミング・インタフェース）とは、ChatGPTのようなアプリを別のアプリから利用するための窓口のようなものだ。２０２３年3月1日（米国時間）にChatGPTのＡＰＩ（有料）が公開されて以降、これを経由してChatGPTを利用できるサービス（アプリ）も次々と登場している。

このように間接的な利用の仕方であれば、原則的にはChatGPTから機密情報などが社外に漏洩する恐れはないはずだが、それでも絶対に安全とは言い切れないだろう。

本来、機密情報あるいはプライバシーや守秘義務に関わる重要な情報などはChatGPTのようにカジュアルなサービスに入力すべきではなかろう。一方で、仕事の途中でふと湧いた疑問を尋ねたり、外国語の文書を日本語に要約して仕事で参照するといった用途では、ChatGPTを利用することに何ら問題はないはずだ。

しかし問題は、一般の従業員がChatGPTについて「ここまでは安全だが、ここからは危険だ」という業務の切り分けを確実におこなえるかどうかにある。企業の経営者や管理職にとって、この点が一番気になるだろう。

これについて絶対的な安全策は見当たらない。しかし職場でChatGPTを使用禁止にするよりは、むしろ従業員研修など社内教育やわかりやすいマニュアルなどを通じて、その安全な使い方、あるいは使用ガイドラインなどの周知を図るべきではないだろうか。

ChatGPTは企業内でどのように使われているのか

以上のようなセキュリティ面の懸念をわきまえた上で、米国企業によるChatGPTの導入は着々と進んでいる。（前述のように）社内でのChatGPTの使用を一旦制限したゴールドマン・サックスは２０２３年４月、ソフトウエア開発者のプログラミングやそのテストを支援するためにChatGPTなどの生成ＡＩを使用していることを明らかにした。

経営コンサルティングのベイン・アンド・カンパニーも、ChatGPTをはじめとするOpenAIの生成ＡＩを自社の経営管理システムに導入すると発表した。

一方、多くの企業ではどのような用途にChatGPTを使っているのだろうか？

この分野に詳しいグーグルの元ＣＥＯ、エリック・シュミットによれば、ChatGPTは企業で日常的に使われる「ボイラープレート（各種の定型文書）」の作成に適しているという。たとえば新製品を紹介するプレス・リリースやプロモーション資料などの製作だ。

またビジネス・パーソンが自分に届いたメールへの返信、マーケティング用のピッチ（宣伝文句）、簡単なレポートの作成などにChatGPTを試験的に使い始めている。ただし、いずれのケースでも最終的には人間によるチェックが必要だ。

ChatGPTの提供元であるOpenAIのサム・アルトマンＣＥＯは当初、自らのツイッターで「ChatGPTの能力は（情報の精度などの点で）限定的だ。少なくとも現時点で何か重要な目的に使うことは差し控えるべきだ」とする旨を述べていた。

この点は、２０２３年3月以降の次世代ＬＬＭ「ＧＰＴ-４」をベースとする有料の**ChatGPT Plus**についても言えそうだ。確かに、ＧＰＴ-４では回答の精度は大幅に改善されたが、それでも情報の誤りや幻覚などの問題が完全に払拭《ふっしょく》されたわけではないからだ。

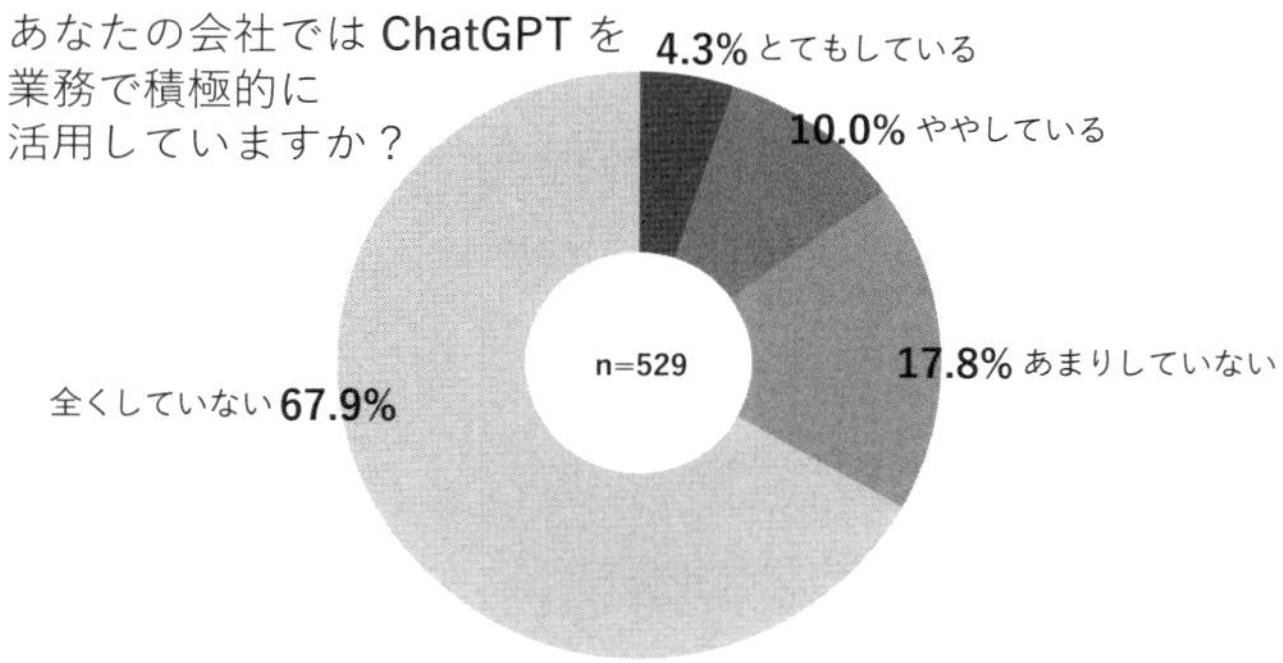

図２　日本企業によるChatGPT活用の状況（2023年３月）
出典：JITERAのHP、https://jitera.com/ja/news/8

そうしたなか、日本企業の間でも、それら一連の問題に配慮しつつChatGPTの導入が進んでいる。ソフト開発の自動化などを手がけるＪＩＴＥＲＡ（本社：東京都渋谷区）が実施した20～50代のエンジニアを対象にしたアンケート調査（回答者数：５２９人）によれば、２０２３年３月の時点でChatGPTを業務にある程度活用している会社は全体の約14％だ（図２）。

エンジニアはChatGPTのようなＩＴ系サービスの利用に積極的であると考えられるので、一般的な従業員の活用状況はこの数字より低いと見るべきだろう。ただしすさまじい量のメディア報道を受けてChatGPTの認知度は急激に高まっているため、本書が読まれる頃には企業への普及率は３月時点よりも大幅に上昇しているはずだ。

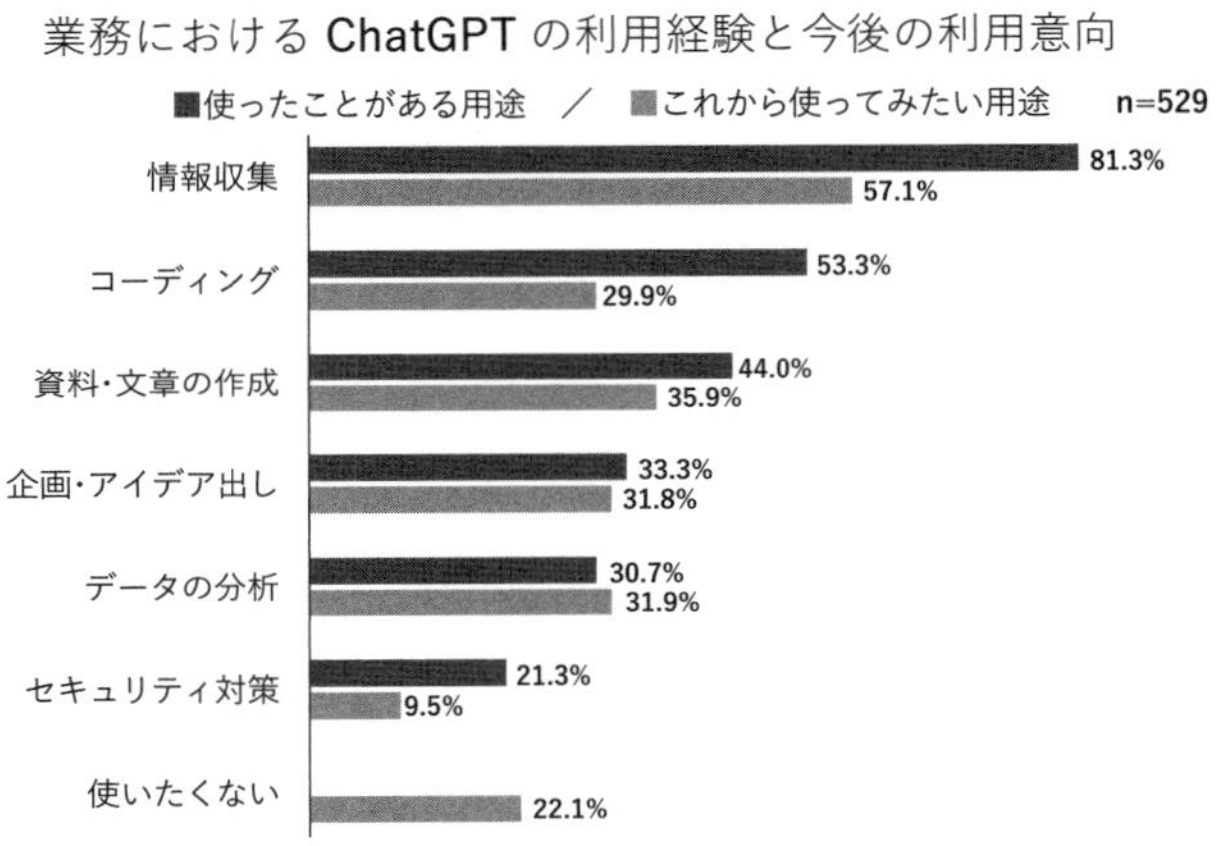

図3 どのような業務に使ったことがあるか、あるいは使ってみたいか
出典：JITERA の HP、https://jitera.com/ja/news/8

同じ調査では、ChatGPTを活用している企業のなかでは、その用途として「情報収集」や「コーディング（プログラミング）」、「資料・文章の作成」等が上位を占める結果となった（図3）。

一般にChatGPTなど対話型ＡＩは回答に情報の誤りや幻覚などの問題が含まれる恐れがあるので、従来の検索エンジンのように確かな情報を求める目的で使う際には注意が必要だ。

逆に、情報の正確性がある程度保証されているメディアの記事や調査レポートなどをChatGPTに要約させて、そのポイントを洗い出すといった目的であれば、ほぼ問題ない。要するに文書処理は非常に得意ということだ。

「プロンプト・エンジニア」という職業すら生まれる

ChatGPTが産業各界に導入されるに連れ、こうした生成ＡＩの使い方に関心が集まっている。生成ＡＩに何らかの仕事をさせようとするとき、いわゆる**プロンプト**と呼ばれるリクエストの出し方によって、回答として返ってくる文章や画像などコンテンツの質に大きな差が出てくるからだ。

ユーチューブやツイッターをはじめとするソーシャル・メディア上には、この種のテクニックを解説した動画などが多数投稿されている。

たとえばプロンプトの内容に「一歩、一歩考えよう（Let's think step by step）」という一文を含めるだけで、ChatGPTから出力される回答のクオリティが大幅に高まるという。これは特に（前述の）数学のように、ChatGPTが本来不得手とする論理的な問題を解かせようとする場合に効果的とされる。

あるいはChatGPTに対し「貴方は何々の分野の専門家です」と役柄を設定した上で、「専門家として、これこれこういう事柄を素人にもわかるように説明してください」とリクエストすると、やはりよい内容の回答が返ってくるケースが多いという。

このようにプロンプトを工夫するとChatGPTは目覚ましい働きをすると言われている。このため、こうしたテクニックは最近「**プロンプト・エンジニアリング**」と呼ばれる新しい専門分野として注目を浴びている。

この新たな職種は引く手数多《あまた》で、たとえばグーグルが出資する生成ＡＩのスタートアップ企業では年収が最大33万５０００ドル（約４５００万円）の「プロンプト・エンジニア」を募集しているという[8]。

他方で、こうした風潮を戒める専門家もいる。

英ケンブリッジ大学の機械学習研究ディレクター、エイドリアン・ウェラーは「この状況が長く続くかどうか私は確信が持てない。プロンプト・エンジニアリングの現状にこだわり過ぎてはならない。すごい勢いで発展し始めているからだ」と警鐘を鳴らしている。

これはどういう意味だろうか？

ChatGPTをはじめ生成ＡＩは現時点ではさまざまな問題や限界を抱えているために、逆にそれを効果的に使いこなすためには何らかのテクニックが必要とされる。しかし今の勢いで生成ＡＩの研究開発が進めば、それらの課題や制約はいずれ解決・解消される。となると、誰でも簡単に生成ＡＩを使いこなすことができるがゆえに、プロンプト・エンジニアリングのような小手先のテクニックはあっという間に時代遅れになってしまうという意味であろう。

本書でも以前に指摘したように、私達の生きる時代は今、「人が機械に合わせる時代」から「機械が人に合わせる時代」へと移り変わりつつある。そうした変化のなかにあって、プロンプト・エンジニアリングは「人が機械に合わせる時代」の最後の名残となるかもしれない。

確かにChatGPTの性能をフルに発揮させるプロンプト・エンジニアリングは当面は重宝されるかもしれない。そうしたテクニックを磨くことが仕事の効率化や昇給、昇進につながるのであれば大いに励むべきであろう。しかし、それに自分の将来を賭けるようなことは自重したほうがよさそうだ。少なくとも、もうしばらく様子を見たほうがいいだろう。

むしろ日頃から知見や経験を積み重ねて視野を広げることのほうがよほど重要ではなかろうか。同じ仕事をしていても、他者が知らない世界を知っていれば、他者とはまったく異なる角度からChatGPTのような生成ＡＩに質問をぶつけることができる。そのほうがより生成ＡＩの力を引き出すことができるし、結果的に今の仕事を前に進め広げる力にもなるはずだ。

生成ＡＩに関する法的な留意点

今後、生成ＡＩの活用を進めるに際して気になるのは法的な側面だ。**日本ディープラーニング協会**（**ＪＤＬＡ**）は２０２３年5月、「**生成ＡＩの利用ガイドライン**」を発表した。これにはChatGPTをはじめ生成ＡＩへの個人情報などデータの入力で注意すべき点や、その結果として出力される文章や画像のようなコンテンツに関する、著作権法上の留意点などが盛り込まれている。

たとえば新聞や雑誌の記事、あるいは各種業界の調査レポートなど「他人の著作物を生成ＡＩに入力するだけの行為であれば、著作権法30条の4の『情報解析』などに該当すると思われますので、著作権侵害のリスクはかなり低いと思われます」という。

これに対し「個人情報（顧客氏名・住所等）を入力する場合、当該個人情報により特定される本人の同意を取得する必要があります。そのような同意取得は現実的ではありませんので、個人情報は入力しないでください」と書かれている。

また「他社から秘密保持を課されて開示された秘密情報」なども同様に入力禁止だ。

一方、生成ＡＩのアウトプットについてはどうだろうか。

まず「生成物を利用する行為が誰かの既存の権利を侵害する可能性がある」と注意を促している。

具体的には「生成ＡＩからの生成物が、既存の著作物と同一・類似している場合は、当該生成物を利用（複製や配信等）する行為が著作権侵害に該当する可能性があります」と書かれている。

では生成ＡＩのアウトプット、つまり画像やテキストなどのコンテンツに生成ＡＩ利用者の著作権は発生するのだろうか。この点について、同ガイドラインは若干微妙な表現で答えている。

すなわち「生成物について著作権が発生しない可能性がある」という。

この表現では、基本的には著作権が発生するが例外的に発生しない可能性もある、と見ることもできる。

具体的には画像生成ＡＩの場合、「自分の意図通りに高画質の画像を生成するために詳細かつ長いプロンプトなどを入力して生成した場合、そこには『創作的寄与』があるとして、それらの行為をおこなった人間を著作者として著作権が発生することになるでしょう」としている。

ただ、この点は国によって判断が異なる。

米国の著作権局は「画像生成ＡＩのアウトプットは確率（偶然性）に左右されるので、ユーザーが生成プロセスを制御しているとは言えない。従って著作権を認めることはできない」とする旨の判断を下している（詳細は第7章で）。

もちろん日米では著作権法など関連法の内容が異なるので単純に比較することはできないが、実は日本では（ＪＤＬＡのガイドラインはさておき）「よくわからない」というのが実情のようだ。要するに弁護士のような法律家でも意見が分かれているのだ。

一方、文章生成ＡＩの場合、ＪＤＬＡのガイドラインによれば「ユーザーが何らかの指示をして、何らかのリサーチ結果、アイディアや回答を得た場合、出力テキストにはユーザーの創作意図と創作的寄与は通常はありませんので、文章生成ＡＩによる出力テキストには著作権は発生しないということになるでしょう」という。

しかし、だからといって、そのようなアウトプットをユーザーが商用利用できない、というわけではない。これについて同ガイドラインには次のように書かれている。

「生成ＡＩにより生成した生成物をビジネスで利用する場合、当該生成物を商用利用できるかが問題となります。この論点は、利用する生成ＡＩの利用規約により結論が左右されますが、ChatGPTの場合、生成物の利用に制限がないことが利用規約に明記されているので、この点は問題になりません」

要するにChatGPTの場合、そのアウトプットとなる文章などは（既存の著作物と同一・類似している場合等を除いて）原則的に商用利用できるということだ。

世界に広がる規制の動き

２０２２年11月末にChatGPTがリリースされてから、その普及が進むに連れて誤情報や幻覚、あるいは悪戯や悪意によるフェイクニュースなどさまざまな危険要素が認識されてきた。ここからChatGPTを規制する動きが世界全体へと広がっていった。

まずイタリアのデータ保護局は２０２３年3月末、同国内でのChatGPTの利用を一時的に禁止する命令を出すと同時に、その調査を開始した。ユーザーの個人情報を不適切に収集・管理していたこと等が問題という。

これを受け、OpenAIはイタリアでChatGPTのインターネット接続を停止した。ちなみに、中国、北朝鮮、ロシア、イランなどの諸国では以前からChatGPTが利用できないが、西側の自由主義陣営ではイタリアが初めてとなる。イタリアのデータ保護局は政府からは独立しているとされ、イタリアの副首相は当局の決定をむしろ「行き過ぎ」と批判した。

イタリアに続き、フランス、ドイツ、英国、カナダなどのデータ保護当局もイタリアと同様の理由でChatGPTの調査を開始するなど、規制の波は世界に広がる兆しもある。

ＥＵ域内では、世界初となる「ＡＩの包括規制案」が欧州議会で協議されている。規制案では各種のＡＩサービスがリスクの程度に応じて「低いもの」から「許容できないもの」まで分類される。

これらを利用する政府や企業はリスクのレベルに応じて異なる義務を負う。公共の場での顔認識（ＡＩの一種）や「プロファイリング」などと呼ばれる一種差別的なＡＩ活用を禁止する。またChatGPTや画像生成ＡＩなどが出力した各種コンテンツに、ＡＩ製であることを明示する等のルールも設けられる。早ければ２０２３年6月にも欧州議会の本会議で可決される見通しだ（英ロイターの報道より）。

中国では2022年12月、政府によって「AIが人間の顔やリアルなシーンなどを生成する際には、AIによって生成されたことを示すマークを明示すること」を義務化するルールが設けられ、翌23年1月から施行された。同ルールではユーザーの実名登録も求めている。

さらに同年4月、中国国家インターネット情報弁公室（The Cyberspace Administration of China：CAC）は「（AIが生成するテキストや画像などのコンテンツは）社会主義の価値観を反映しなければならないとともに、国家の転覆につながる内容を含んではならない」などとする厳格な規制案を提案した。これに対するパブリック・コメントを募集した上で、23年中に発効する見通しだ。

他方、米国やスウェーデンなどの政府はしばらく様子を見る構えだ。

特にChatGPTなど生成AIの技術開発で独走する米国では2023年4月、バイデン大統領がホワイトハウスの記者団から「この技術は危険ですか?」と聞かれ、「しばらく様子を見よう。しかし危険かもしれない」と答えた。

それから間もなく米商務省の国家電気通信情報庁（NTIA）が「AIの規制」に関する一般からの意見募集（request for comment）を開始した。これにより対話型AIなどが製品としてリリースされる前に、（政府機関などによる）認証プロセスを踏むべきかどうか等について検討する。またＡＩの監査や評価などについても一般からの意見を聞く。

主にセキュリティや個人情報管理などの面からChatGPTへの批判が世界に広がるなか、OpenAIは２０２３年４月、安全面での施策を公表した。

ChatGPTのバグを見つけるために報奨金プログラムを立ち上げ、システムの脆弱性を報告したセキュリティ研究者らに対して最大2万ドル（約２７０万円）の報奨金を出すという。

また、外部の専門家やユーザーの意見を聞きながらChatGPTの動作を監視すると同時に、トレーニング用のデータから個人情報をできる限り削除するという。

２０２３年４月下旬、OpenAIは「ChatGPTのユーザーが利用履歴を残さないように設定できる新機能を導入した」と発表した。設定すると、プロンプトなどの入力データがＡＩの機械学習に利用されなくなると同時に、これまでの質問や回答も表示されなくなる。ただし設定はいつでも変更できるという。

これを受け、西側諸国のなかで真っ先にChatGPTを禁止したイタリアでは、２０２３年４月末にそのサービスが再開された。プライバシー・ポリシーやユーザーの年齢確認などを巡るイタリア当局の懸念に対し、OpenAIが概ね適切に対処したことで再開の許可が下りたとされる。

そうしたなか、日本では少なくとも２０２３年5月時点でChatGPTを規制する動きは見られない。むしろ、これをビジネス等に積極的に活用しようとする方向にある。政府の「ＡＩ戦略会議」は偽情報や著作権侵害など生成ＡＩのリスクは深刻に受け止めるとしながらも、利活用とリスクへの対応を「バランスを取りながら進めていく」とする方針を明らかにしている。

[参考文献]

1 "Alarmed by A.I. Chatbots, Universities Start to Revamping How They Teach," Kalley Huang, The New York Times, Jan.16, 2023

2 "Experimental Evidence on the Productivity Effects of Generative Artificial Intelligence," Shakked Noy et al, MIT, March 2, 2023

3 "The Impact of AI on Developer Productivity: Evidence from GitHub Copilot," Sida Peng et al., Microsoft Research, GitHub, Feb. 13, 2023

4 "The ZipRecruiter Job Seeker Confidence Survey," ZipRecruiter, 2023 Q1

5 "GPTs are GPTs: An Early Look at the Labor Market Impact Potential of Large Language Models," Tyna Eloundou et al, OpenAI, March 27, 2023

6 "How will Language Modelers like ChatGPT Affect Occupations and Industries?" Ed Felten et al., Princeton University, SSRN, March 6, 2023

7 "The Potentially Large Effects of Artificial Intelligence in Economic Growth(Briggs/Kodnani), Goldman Sachs Economics Research, 26 March 2023

8 「プロンプトエンジニアの需要急増、年俸４５００万円の求人も―ChatGPTブームで」、Conrad Quilty-Harper、ブルームバーグ、２０２３年3月31日

第３章
生成ＡＩ以前のＡＩ史
──二度の「冬」を越えて

ＡＩ開発の歴史を一気に振り返る

なぜ、ChatGPTのような生成ＡＩは流ちょうな会話力と類稀《たぐいまれ》な博識を誇る一方で、ときに誤った答えを返し、幻覚などの奇妙な振る舞いを見せるのだろうか？　これらの謎を解くためには、まず優に60年以上にも及ぶＡＩ研究の歴史を簡単に振り返っておく必要があるだろう。

世界のＡＩ研究の始まりは、１９５６年に米ニューハンプシャー州のダートマス大学で開催された（通称）「**ダートマス会議**」にまで遡る。

この会議には、米国の著名なコンピュータ科学者ジョン・マッカーシーや情報理論の創始者クロード・シャノン、あるいは政治学から経済学、心理学から言語学まで「万能の天才」と言われたハーバート・サイモンをはじめ錚々たる研究者達が一堂に会した。

これらの英知を結集して「人工知能（Artificial Intelligence：ＡＩ）」、つまり「人間のように見たり、聞いたり、話したり、考えたりする知能（を備えた機械やソフトウエア）」を創っていくためのグランド・デザインや基本計画などを議論したのである。

当初からＡＩの厳密な定義はなく、かなり漠然とした概念だったが、それでもいくつかの領域に分かれて研究開発が進むことになった。

たとえばコンピュータのような機械が人間の話す言葉を（あくまで音声として）認識して文字にする「**音声認識**」、写真や動画などの映像に何が写っているかを認識する「**画像認識**」、人間の話す言葉を（その意味まで）理解して会話や文書作成などをおこなう「**自然言語処理**」、その一環として異なる言語の間を自動的に翻訳する「**機械翻訳**」等々。

これらは当時から現在に至るまで、ＡＩの主要な分野と考えられているが、時代が進むに連れ、それらを組み合わせること等によって、さらに新しい研究領域が生まれていった。

以上のようなＡＩの研究開発を始めるに際して、大きく2つのアプローチが考えられた。

1つは人間の知能の源である「脳」の仕組みを研究し、これに基づいて人工の知能を生み出そうとする方式。これはＡＩ研究者の間で「**ニューラルネット**（**Neural Network**）」や「**コネクショニズム**（**Connectionism**）」などと呼ばれているが、その起源は先述のダートマス会議よりも古くまで遡る。つまり「ＡＩ」という言葉が生まれる前から、実質的にそのような研究が始まっていたのだ。

１９４３年、米国の神経生理学者ウォーレン・マカロックと論理学者ウォルター・ピッツの２人が共同で「神経活動に内在するアイディアの論理計算」と題する論文を発表した。私達人間の脳は、一説では約１０００億個ともされる無数の「**ニューロン**（**神経細胞**）」が複雑に絡み合ったネットワークを形成している。

２人の論文は、個々のニューロンの振る舞いを「活性化関数（activation function）」と呼ばれるシンプルな数式で表現し、それらを何個も複雑につなぎ合わせてネットワーク化することによって、脳の仕組みや活動を（数学的に表現して）工学的に実装できることを示唆していた。

１９５７年、米国のコンピュータ科学者・心理学者のフランク・ローゼンブラットがこうしたアプローチで実際にニューラルネットを開発し、これを「**パーセプトロン**」と名付けた。

パーセプトロンは情報の入力層、連合層、出力層からなる簡素なネットワーク構造をしていた。これにカメラを通して多数の図形を入力し、それらの形状を学習させた後で、改めていくつもの図形を入力してやると、「これは四角形」「これは六角形」……などと分類して出力することができた。

つまり文字通りの機械的な学習を経て、非常に初歩的なパターン認識をおこなえるようになったのである。現在で言うところの「機械学習」の最初のケースと言えるだろう。

当時、ローゼンブラットは報道関係者を（当時、彼が所属していた）コーネル大学の研究室に招いて、そうしたデモを見せた後で「パーセプトロンがこれからも学習を繰り返して進化を続ければ、いずれは人間のように見たり話したり書いたりすることはおろか、意識さえ有する機械が誕生するだろう」と大風呂敷を広げた。これをニューヨーク・タイムズなど主要メディアの記者がそのまま報じた。

このため「パーセプトロン」のようなニューラルネットは一躍脚光を浴びたが、間もなく、その研究は下火になっていった。理由は、その構造が本物の脳に比べて余りにも単純過ぎたことなども考えられるが、基本的には「当時のコンピュータを構成する部品では所詮無理だった」ということだ。

１９５７年に登場したパーセプトロンは「ポテンショメーター」と呼ばれるアナログ部品等から構成されていた。これに端を発するニューラルネットの研究が盛んになった１９６０年代、コンピュータはそれまでの真空管からトランジスタをベースとする「第２世代」に突入していたが、それでもその計算能力は現在の「ＬＳＩ（大規模集積回路）」などに比べれば雲泥の差があった。

このように当時としては最先端だが、今から見れば未熟なコンピュータや部品をいくら組み合わせたところで、とてもではないが「脳を数学的・工学的に再現して人工の知能を実現する」といった途方もない夢が叶うはずはなかったのだ。

こうしたニューラルネットに代わってＡＩ研究の主流となっていったのが、もう１つのアプローチである「**記号処理型の人工知能**（Symbolic AI）」だ。

これは「脳の仕組みや働き」などはほぼ無視して、むしろ私達が普段使っている文字や数字などの記号を使って、もっと単刀直入に人工的な知能を実現しようとする試みである。

たとえばコンピュータに言語をマスターさせるには、辞書に載っている数万の語彙と文法書に書かれている数千の文法等を憶えさせればいい。あるいはチェスや将棋を指させるには、盤面の構成や駒の並び方、動き方などゲームのルールを教えてやればいい。数学や物理の理論を構築させるには、公理や定理や自然界の法則などを表す数式をコンピュータに移植してやればいい。

あとは、これらの記号の操作方法をプログラムとして入力すれば、コンピュータが高速プロセッサをフル回転して人間以上の知的作業をこなしてくれるだろう。

このような考え方に従って研究開発が進められていったのが「記号処理型の人工知能」、つまり人間が扱う自然言語や数式などの記号に基づいて、論理的な推論や問題解決をおこなうＡＩシステムだ。

前述のダートマス会議に参加した各界の天才研究者達も、基本的には、こうした方式の人工知能を支持していた。彼らは米国政府から研究予算を引き出すために、限りなく楽観的な見通しを述べた。

「ＡＩ」という専門用語を考案してダートマス会議を成功に導いたジョン・マッカーシーは、国防総省の研究機関ＤＡＲＰＡ《ダーパ》（国防高等研究計画局）に提出した報告書のなかで「考える機械（ＡＩ）は、あと10年もあれば完成するだろう」と予想した。

万能の天才と称えられたハーバート・サイモンに至っては「今から20年以内に、人間がやれることはすべて機械がやれるようになるだろう」と公言するほどだった。他の一流科学者も口を揃えて調子がよいことを言うので、ＤＡＲＰＡをはじめ大口のスポンサーが大学等のＡＩ研究に気前よく予算をつけてくれた。

これが「第１次ＡＩブーム」と呼ばれる現象だが長続きはしなかった。「記号処理型のＡＩ」の研究が進むに連れ、彼ら天才達の見方は楽観的過ぎることがわかってきたからだ。

私達が生きる現実世界で使われる生の言葉や表現には、さまざまな「例外」や「比喩」あるいは微妙な「ニュアンス」などが含まれており、杓子定規の文法と語彙を教え込まれただけのＡＩには太刀打ちできなかった。当時のＡＩが人間とまともな会話を交わすことなど「夢のまた夢」であった。

またモノの形状などを一種のルールとして教え込まれただけの画像認識ＡＩでは、１枚の写真に写っている「家屋」も「ビル」も「タワー」も個別の物体として切り分けて認識することができなかった。それらはコンピュータにとって明確な輪郭を有するモノではなく、実際には画像を構成するピクセル値の集合に過ぎなかったからだ。

ゲームのルールを憶えただけのチェスや将棋のソフトにしても、高度な戦法はおろか定石さえも知らないようでは初心者レベルのプレイヤーにも勝てなかった。

一方、「数学」や「パズル」など一部の分野では、記号処理型のＡＩはある程度の成果を上げた。たとえば代数の問題を解いたり、幾何学の定理を証明するといったことだが、それらのＡＩはせいぜい高校生レベルの問題を解くのが関の山だった。

総じて、この時代のＡＩは一部の科学者達の好奇心を満たすための研究対象に過ぎず、人類や社会に貢献する本格的な人工知能には程遠かった。

１９７３年、英国の著名な数学者であるジェイムズ・ライトヒル卿が「ＡＩ研究は、なんら実質的な成果を上げていない」と厳しく批判する報告書を発表した。

こうした流れのなか、米国や英国などの政府はＡＩ関連の予算に大ナタをふるった。社会的な支持と大口のスポンサーを失ったＡＩ研究は急速に衰退し、長い停滞期に入った。これが（1回目の）「ＡＩの冬」である。

その後、しばらく沈滞していたＡＩだが、１９８０年代に入ると息を吹き返した。その中心となったのが「**エキスパート・システム**」と呼ばれるＡＩだ。これは産業各界のエキスパート（専門家）が持っている豊富な知識やノウハウをコンピュータや専用装置等に移植した、言わば「デジタル・エキスパート」とでも呼ぶべき人工知能であった。

たとえば電機エンジニアの専門知識を移植されたコンピュータが、電化製品の故障や不具合をチェックする。あるいは医師の診断スキルを授けられたコンピュータが伝染性の血液疾患を診断したり、砂漠や海底の地層情報をインプットされたシステムが油田を掘り当てるための情報を教えてくれる。このようなエキスパート・システムが次々と提案、開発されていった。それによって企業は多額の人件費を節約できると考えられたのだ。

この時代のＡＩは、これら専門家が持つ知識やノウハウなどをルール化してコンピュータに移植する方式であったため、一般に「**ルールベースのＡＩ**」などと呼ばれる。これに対しては「今度こそは実用化が期待できそうだ」ということで、米国や英国、日本をはじめ先進諸国の政府が軒並み数百億円もの国家予算を投じて、大規模なＡＩ開発プロジェクトを立ち上げた。

これに刺激され、民間企業によるＡＩ関連の投資や研究開発も活発化した。エキスパート・システムを開発するために、各界専門家に取材して、その知識やノウハウを根掘り葉掘り聞き出し、これらをコンピュータに移植する「**ナレッジ・エンジニア**」と呼ばれる職業が花形のキャリアになった。こうしたエキスパート・システムの開発を手掛けるスタートアップ企業が日米をはじめ先進諸国で続々と設立された。

これが「第２次ＡＩブーム」である。しかし、これも長続きはしなかった。いずれの国家プロジェクトも大した成果を上げることなく幕を閉じ、これと軌を一にして産業各界におけるエキスパート・システムへの期待も幻滅に変わっていった。

その主な理由は、後から考えれば自明であった。ルールでがちがちに固められたエキスパート・システムのようなＡＩは融通が利かず、現実世界の複雑で多様な問題には対処できなかったのである。

また当時のエキスパート・システムには、自動的な更新機能も学習機能も備わっていなかった。このため製品化された時点では最新の知識やノウハウを移植されていたとしても、実際に使われるときには、それらのルールが時代遅れになっていて使い物にならないことも珍しくなかった。

かと言って、それらを常に最新のルールに保っておくためには、大勢の技術者を常時待機させておく必要があり人件費がかさんでしまう。そんなことをするぐらいなら人間の専門家を雇ったほうがよほど安く上がるのだ。

原理的に考えても、こうしたＡＩには決定的な限界があり将来性がなかった。

第２次ＡＩブームを形成した「ルールベースのＡＩ」は、多彩なルールを文字や数字などの記号で記述している点において、第１次ＡＩブームの「記号処理型のＡＩ」と基本的に同じであった。

これら古典的なＡＩは現在、専門家の間で「**ＧＯＦＡＩ：Good Old Fashioned AI（古きよき時代のＡＩ）**」などと呼ばれているが、その実態を率直に評価すれば「知能に関する原因と結果の因果関係」が本来の姿とはひっくり返しになっている。

すなわち「文法」や「数学の定理」、あるいは「医師の診断スキル」のようなルールは、人間の知能が生み出す結果に過ぎない。その逆方向を辿って、そうしたルールをコンピュータにいくら移植したところで、その結果として人間の知能が再現されるはずがない。むしろ結果的に生まれるのは、いくつもの複雑なルールに従って動く「融通の利かない機械」に過ぎず、これを「人工知能」と呼ぶのは最初から無理があった。

１９８０年代の後半には、ＡＩコミュニティ内外にいる多くの科学者が、これまでのＡＩ研究の努力がほぼ失敗に終わったと感じていた。人間の知能を工学的に再現するという当初の目標が予想以上の難関であることが判明し、ＡＩ関係者の間で無力感と絶望感が広がっていった。ＡＩ研究への資金と人の流れはパタリと途絶え、再び長い停滞期が訪れた。これが2度目となる「ＡＩの冬」である。

この時期はＡＩ研究者の間でもＡＩの名を口にするのは憚られ、大学の研究者らの間では政府からの予算を獲得するために、自らの研究テーマを「マシン・ビジョン」や「データ・マイニング」のようにＡＩとは別の名前で呼ぶなど厳しい状況が続いた。

ニューラルネットの復活と第3次AIブームの到来

しかし１９９０年代の後半に入ると、「ＡＩの冬」は徐々に雪解けを迎えていった。その背景にあるのが、１９９３年に生まれた「ワールド・ワイド・ウェブ」に端を発する世界的なインターネット・ブームと、そこに蓄積されていった大量のデータ、いわゆるビッグデータである。

これを基に「**機械学習**（machine learning）」と呼ばれる手法が急速に台頭し、新たなＡＩの主流となっていった。

機械学習とは、コンピュータがビッグデータを解析することで自動的に学習し、そこから「モデル」と呼ばれる数学的な仕組みを獲得する技術だ。モデルは、コンピュータが新しいデータ（情報）をもとに予測や判断をおこなうために使われる。

こうした機械学習は、人間が明示的なルールなど与えなくても、コンピュータが半ば自律的に問題を解決できるようになることを目指している。

この波に乗って復活してきたのがニューラルネットだ。

ニューラルネットは機械学習に最適な構造をしている。その手本となっている（本物の）脳は人間の場合では約１０００億個のニューロンが互いに接続して絡み合った複雑なネットワークを構成している。それらのニューロン同士が互いに接続する箇所は「シナプス」と呼ばれ、人間の脳では一説によれば約１００兆個ものシナプスが存在すると見られている。

私達人間がさまざまな経験を積んだり色々な本を読んだりすると、それらの刺激がニューロンを通じて電気信号として脳内を伝わり、無数のシナプスの接続強度が変化する。これにより脳は新しい知識を獲得し、それを記憶することができる。これが私達人間がおこなう「学習」である。

これに対しニューラルネットでは、脳のシナプス（の接続強度）に該当するのが「**パラメーター**」あるいは「**重み**（**weight**）」などと呼ばれる変数だ。１９８０年代後半に「バック・プロパゲーション（誤差の逆伝播）」と呼ばれるアルゴリズムが開発され、ニューラルネットが大量の学習用データを処理する過程で、無数のパラメーターの値を自動的に調整・最適化することを可能にした。これは本物の脳が学習過程で、無数のシナプスの接続強度を変化させる行為に該当する（あくまで比喩的な意味だ）。

ただしバック・プロパゲーションは非常に複雑なアルゴリズムなので、大量の学習用データにこれを適用して現実的な時間内に処理を終わらせるには、高速のプロセッサ（演算装置）や大容量のメモリ（記憶用部品）が必要とされた。このアルゴリズムが開発された当時、それらの恵まれたコンピューティング環境は望むべくもなかった。

しかし21世紀に入ると半導体集積技術の加速度的な向上等により、ようやくそうした計算機環境が整ってきた。

これらビッグデータや高速のコンピュータ資源等をベースに、２００６年頃からカナダ・トロント大学教授（当時）の**ジェフリー・ヒントン**をはじめ「ＡＩの冬」を乗り越えてきた科学者らの優れた研究により、多層のニューラルネットが効率的に学習できるようになり、その性能が飛躍的に向上した。原初のニューラルネット「パーセプトロン」がわずか３つの層から構成されていたのに対し、10層、１００層とどんどん多層化していったのである。

このような多層ニューラルネットによる機械学習は、やがて専門家らの間で「ディープラーニング（深層学習）」と呼ばれるようになった。

２０１２年にはトロント大学のヒントン研究室に所属していたアレックス・クリゼフスキーらが開発した「アレックス・ネット（AlexNet）」が、画像認識の世界的な競技会で圧倒的な成績で優勝。デジタル写真に撮影された「自動車」や「鳥」、「ライオン」や「飛行機」などさまざまなモノや生き物などを、コンピュータが人間に勝るとも劣らない精度で認識できるようになった。

こうしたマイルストーンによってディープラーニングに対する関心が一気に高まり、これ以降、世界のＡＩ研究はディープラーニング一色に染まっていった。

ディープラーニングは画像・音声認識や株価予測、医療診断あるいは自動運転やロボット工学など多方面に応用されて驚異的な成果を上げた。

また囲碁のような伝統的で奥深いボードゲームのＡＩソフトにも応用され、その代表である「アルファ碁」が２０１７年に当時の世界チャンピオンに勝利を収めるなど、人工知能の長足の進歩を人々の脳裏に焼き付ける象徴的な出来事となった（アルファ碁はグーグル傘下の英ディープマインドが開発した）。

これらのブレークスルーが知れ渡るにつれ、ディープラーニングは金融業界の予測モデル、ＩＴ企業の音声アシスタントや機械翻訳システム、あるいはＥコマース・サイトの商品レコメンデーション、さらには病院などの医療診断システム、自動車業界の自動運転開発など産業各界に次々と導入されていった。

グーグルやアップル、フェイスブック（当時）、アマゾンなど、いわゆるＧＡＦＡと呼ばれる巨大ＩＴ企業もディープラーニングの研究開発に多額の予算を投入したり、関連のスタートアップ企業を巨額買収するなどして競争が激化していった。

さらに米国、中国、欧州、日本、韓国など主要国・地域の政府はディープラーニングを中心とするＡＩを科学技術振興の要と位置付け、その研究開発や人材育成、インフラ整備などに巨額の予算を投入することになった。

なかでも米国はシリコンバレーを中心に、スタンフォード大学など優れた研究機関とハイテク企業が人材交流などにより緊密に連携して世界のＡＩ開発をリードしている。

一方、中国では政府が２０３０年までにＡＩ開発で世界のリーダーになることを目指しており、いわゆる「海亀政策」により海外の大学で学んだ優秀な人材を国内で活用するなど追い上げを図っている。これに対して米国政府は、ＡＩ開発の基盤となる半導体技術の輸出規制を中国にかけるなど、その勢いを削ごうとしている。

またＥＵも、ＡＩ開発のベースとなるビッグデータや消費者プライバシー関連の規制に力を入れるなど、独自のアプローチでこの分野における存在感を示そうとしている。

このように２０１０年代に入り、世界的な第３次ＡＩブームが形成されていった。この時期、ＡＩの呼称は一般社会にも浸透し、関連の書籍がベストセラーになることも何度かあった。大学や企業等では、本来ＡＩとは呼べないような研究テーマや製品でもあえてＡＩと呼ぶケースが多くなった。ちょうど「ＡＩの冬」の時代とは正反対の状況になったのである。

ＡＩの科学的な可能性や産業的な価値が喧伝される一方で、ＡＩが人類を凌駕する「シンギュラリティ（技術的特異点）」や「人間の仕事がＡＩに奪われる」などの懸念も高まり、プラスとマイナスの両面でＡＩが一種の社会現象化するに至った。

AIの進歩は「言葉の理解」で足踏みしてきた

ただ、これら現在まで続く第３次ＡＩブームでは、ＡＩの実力が過大評価されている面もある。ＡＩが人類の知的能力を完全に上回るシンギュラリティがそう遠くない将来に訪れるといった予想が実しやかに語られてはいるが、実際には、その遥か手前で技術開発が足踏みしている状態が最近まで続いていたのである。

それはどういうことか？

近年のＡＩブームでは、特に「画像認識」や「音声認識」など、いわゆるパターン認識の分野で格段の進歩が見られた。が、これらは言わばコンピュータのような機械がモノを見たり聞いたりする能力であって、犬や猫など人間以外の動物でもできることだ。

これに対し言葉を理解し操るための言語能力、いわゆる「自然言語処理」は私達人類だけに備わっている高度な能力である分、ＡＩで実現することが一際難しかった（一部の類人猿は訓練すればサイン言語等を操るとされるが、それは例外的で限られた言語能力であるので、ここではひとまず置いておこう）。

確かにアップルの「Siri（シリ）」やアマゾンの「Echo & Alexa（エコー&アレクサ）」など音声アシスタントＡＩがすでに商品化されているが、それらは一種の音声によるコマンド（命令）機能に過ぎず、ＡＩが言葉の意味を理解して私達人間と流ちょうな会話を交わすという類のものではない。

２０１１年、当時発売された「アイフォーン４ｓ」とともにリリースされたSiriは、音声コマンドを使って、カレンダーの予定を入れたり、リマインダーを設定したり、音楽を再生したり、天気予報や株価情報をチェックしたりできるなど、多彩な機能が用意されていた。

Siriは故スティーブ・ジョブズの肝いりで、アップルがこの分野の技術開発を手掛けるスタートアップ企業を買収することによって実現された。来《きた》るＡＩの時代を見抜いていた点でさすがジョブズと思わせたが、彼が他界して以降は、それほど劇的な進化を見せていない。

筆者も個人的にSiriを使ってきたが、今ではせいぜい明日の天気や今日の気温を尋ねることくらいにしか使っていない。それ以外の多少込み入った質問を投げかけても、大体は「わかりません」という答えやせいぜいウェブ検索の結果が返ってくるだけであるからだ。

一方、アマゾンが２０１４年に発売した対話型スピーカー「Echo」とともにデビューした「Alexa」も、同じく音声による命令で音楽を再生したり、タイマーやアラームを設定したり、室内の照明やスマートデバイス類を操作したり、ショッピング・リストを作成したりするなど多彩な機能が用意されている。

このAlexaもSiri同様、発売当初こそ多くのユーザーが面白がって使うなどして脚光を浴びたものの、それからしばらくして飽きられてしまった。また、機能・性能的にもそれほど目立った進化は見られず先細りの感がある。

Siriでも Alexaでも、その中核となる部分では、実はかなり旧式の技術が使われている。確かに音声認識、つまり私達ユーザーが発した言葉による命令を音声認識してテキスト（文字）化するところまでは、最先端のディープラーニングが使われている。

ところが、その先の自然言語処理、つまりテキスト化された音声データを意味のある言葉として理解する部分には、先述の「GOFAI（古きよき時代のAI）」はおろか、もっと原始的な手法が使われているのである。

それらは一種の「コマンド制御システム」であり、基本的には「今日の天気は？」あるいは「部屋の灯りをつけて」など、あらかじめ人間が想定して用意した複数の質問・リクエストに対応して各種の回答やアクションを返す仕様になっている。もちろん、ときには音声アシスタントが気の利いたジョークなどを発することもあるが、これらもあらかじめ人間が用意した答えを半ば機械的に返しているだけだ。

逆に、それら定型的な質問やリクエスト以外の変化に富むコマンドが入力された場合、Siriや Alexaは実質的に対応することができない。結局「わかりません」あるいは「ウェブ検索の結果はこうです」という反応しか返せないのである。

これら音声アシスタントの想定問答集を作り上げるために、これまでアップルやアマゾンなどでは多数の専任スタッフを採用して作業に当たらせてきた。

特にアマゾンでは、最近の世界的な金融引き締めやコロナ需要の減退で景気が冷え込むと、真っ先にこれら音声アシスタント部門の単純労働者がその影響を受けてしまった。２０２２年に同社が約1万８０００人に及ぶ人員削減を実施した際には、その多くがAlexa部門の従業員であったと見られている。

ニューラルネットのパターン認識は人間をしのぐレベルに

もちろん、SiriやAlexaなどすでに商品化された対話型ＡＩとは別に、大学や企業などの研究所では自然言語処理をおこなうＡＩの研究開発が地道に進められてきた。特に近年における、そのアプローチは、ほぼすべてディープラーニングのような「ニューラルネット」と見てかまわない。

ただ、同じニューラルネットとは言っても、「画像認識」や「音声認識」のようなパターン認識に使われるものと、機械翻訳や対話型ＡＩのような「自然言語処理」に使われるものとでは方式が異なる。

まずパターン認識に使われるのは「**畳み込み型ニューラルネット**（**Convolutional Neural Network：CNN**）」と呼ばれる種類のもので、これは生物学的な視覚処理システムにヒントを得て設計されている。

より具体的には、（私達人間を含む）動物の後頭部にある脳の「視覚野」、つまり動物が実際に目でモノを見るときに使われる脳の領域を参考にして開発されている。これには神経科学（脳科学）の研究成果が活用されている。

たとえば１９５０～60年代にかけて、米国の神経科学者デイヴィッド・ヒューバーとトーステン・ヴィーゼルは猫の後頭部を切開し、そこに電極を刺して、猫が何らかの図形を見ているときの視覚野の振る舞いを電子増幅器で観察した。これをはじめいくつもの脳科学の研究成果が後のＡＩ開発に合流した結果として、ＣＮＮが誕生したのだ。

もちろん実際にそうしたＡＩを開発するのは、この分野を専門とする研究者だが、これと神経科学者など他分野の研究者との間で交流が進むことによって、ディープラーニングなど近年のＡＩ開発が促進されたと見ることもできる。

このようなＣＮＮによる画像認識の精度は近年著しく向上している。

たとえば２０１５年には、マイクロソフトの研究チームが開発したＣＮＮが、世界的な画像認識のコンペ（競技会）で「誤認識率が３・６％」という驚異的な数値を記録した。つまり「何らかの物体の片隅だけが見えているデジタル写真」など非常に紛らわしい画像をＣＮＮに入力した場合、それを何か別の物体と誤って認識してしまう確率が３・６％に抑えられたという意味だ。これは人間の認識精度に近いレベルにあるとされた。

その2年後となる２０１７年には、グーグルの研究チームが開発したＣＮＮが同様の競技会で誤認識率２・８％を達成し、ついに人間をしのぐまでに至った。その後も各国の研究で、より大規模なデータセットやより深いネットワーク構造の導入などにより、ＣＮＮの性能向上は続いている。

一方、ＣＮＮによる音声認識の精度も近年大幅に向上しているが、背景にある騒音などいくつかの問題から、人間の認識精度と比べると未だ改善の余地はあるとされる。それでも、グーグルがスマートフォンなどに採用している音声認識の技術が、２０１７年に開催された音声認識の競技会でほぼ人間に近い認識精度を記録しており、その後も改良が続けられている。

総じてＣＮＮのようなニューラルネット、つまりディープラーニングによる画像・音声などのパターン認識は極めて高いレベルに到達しており、すでに本格的な実用化の段階に入っている。

かつてのAIやコンピュータはどのように「言葉」を理解していたのか？

一方、私達人間の言葉をコンピュータのような機械が理解して操るための「自然言語処理」の分野では従来、主に「**再帰型ニューラルネット（Recurrent Neural Network：RNN）**」と呼ばれる別の方式が使われてきた。

RNNは「時系列データ」と呼ばれる時間的な順序を持つデータの処理に適している。そうしたデータの代表が、私達の話し言葉や文章のような自然言語である。

なぜなら「私はリンゴが好きです」などの話し言葉は、「私」「は」「リンゴ」「が」「好き」「です」というくつかの単語（品詞）へと分解され、それらが時間軸に沿って順番に発音されていくからだ。また、このような文章を私達が読むときも、やはり時間軸に沿ってそれらの単語が順番に読まれていく。これが時系列データである。

2014年頃から研究者の間で普及し始めたRNNは、それ以前のニューラルネットと

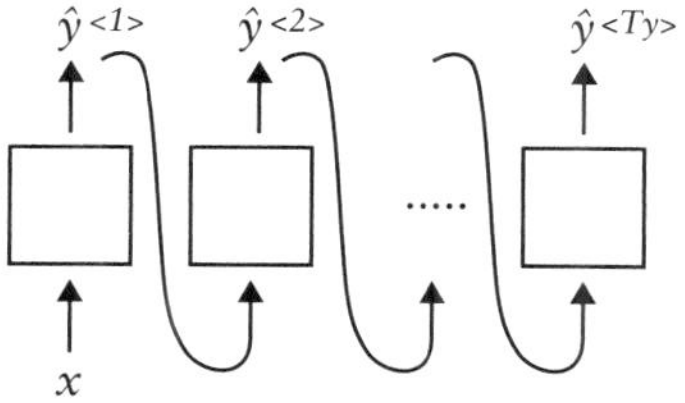

図４　再帰型ニューラルネット（RNN）の構造　ある時点の出力が次の時点の入力になる
出典："Sequence Models Complete Course," Andrew Ng, deeplearning.AI

は異なり、出力した結果を自身にフィードバックできる構造を有している（図４）。この点を指して、「再帰型」つまり「自分の出した結果が再び自分に帰ってくる形」のニューラルネットと呼ばれているのだ。

ちなみに図４のような模式図を見せられたからといって、このような形をした物体（ハードウエア）があると思ってしまうと、それは勘違いだ。これはあくまでもＲＮＮというニューラルネットの概念図に過ぎない。つまり、このような順番にデータが流され処理されていくという手続きを示した図である。

この概念図に従ってソフトウエア開発者らがニューラルネットのプログラムを書き、それが「コンパイラ」等と呼ばれる変換用ソフトを介してコンピュータの理解できる機械語へと翻訳される。

追々説明していくが、図４のような独特のＲＮＮの構造が自然言語の処理に適している。以下、RNNがどのようにして私達人間の言葉を理解して操っているかを解説していく。

これを読めば、RNNのようなAI、ひいてはコンピュータにとって言葉の「意味」とは一体、何を意味するのか、また、私達が日頃何気なくおこなっている「他者との会話」や「読書」などの自然言語処理が、AIやコンピュータのような機械にとって、どれほど複雑で厄介な作業であるかもおわかり頂けると思う。

では説明を始めよう。

まずRNNに入力された文章などのデータは、最初にこれを構成するいくつもの単語（AIの専門用語では「**トークン**」と呼ばれる）へと分解され、各々の単語が「**エンコーディング（Encoding：符号化）**」という処理を受ける。

エンコーディングとは、単語（の意味）をいくつかの特徴量（評価軸）に沿って数値化する作業だ。図5にその様子を示す。この図では、各々の単語を「性別（Gender）」「王族（Royal）」「年齢（Age）」「食物（Food）」という4つの軸に沿って数値化している。

この図を見ると、「男（Man）」と「女（Woman）」では性別（Gender）の絶対値がともに1で、その符号がプラスとマイナスに反転している。これは男と女の性別が正反対であ

	Man (5391)	Woman (9853)	King (4914)	Queen (7157)	Apple (456)	Orange (6257)
Gender	−1	1	−0.95	0.97	0.00	0.01
Royal	0.01	0.02	0.93	0.95	−0.01	0.00
Age	0.03	0.02	0.70	0.69	0.03	−0.02
Food	0.09	0.01	0.02	0.01	0.95	0.97

図５　単語の意味をいくつかの評価軸に沿って数値化した様子
出典：“Sequence Models Complete Course,” Andrew Ng, deeplearning.AI

ることを数学的に表現しているのである。また、その下に続く「王族（Royal）」「年齢（Age）」「食物（Food）」等の評価軸の値は、ともにほぼゼロに近い。つまり「男」あるいは「女」という単語は性別以外の意味をほとんど持たないことを、やはり数学的に表現しているのである。

一方、「王（King）」と「女王（Queen）」では「性別」の絶対値がほぼ１に近く、その符号がやはりプラス、マイナスのようにひっくり返っている。さらに「王族」を示す数値がともに１に近い。また年齢を示す数値もかなり高く、逆に「食物」を示す数値はほぼゼロである。

これらは「王」あるいは「女王」という単語が、性別的には「男」あるいは「女」であること、それらが「王族」であること、また比較的年齢が高い傾向があること、さらに「食物」ではないこと等を、やはり数学的に表現しているのである。

さらに「リンゴ（Apple）」や「オレンジ（Orange）」等の単語では、最初の3つの評価軸の数値はほぼゼロに近いが、逆に4番目の「食物」を表す評価軸の数値が1にかなり近い高い値を示している。

これはまさに、これらの単語が「食物」を意味することを数学的に表現しているのである。

以上の手続きは本来なら、これらわずか4個の評価軸ではなく、ときに何百、何千個にも及ぶ多数の評価軸に沿っておこなわれるが、ここではわかりやすくするために評価軸の数をあえて絞り込んでいる。

以上のようなエンコーディングの作業は、言葉の「**ベクトル表現**」とも呼ばれる。これによって単語の意味を座標空間上の位置（を表す数値）で表現できるのだ（図6）。

今回の場合、本来なら「性別（Gender）」「王族（Royal）」「年齢（Age）」「食物（Food）」という4次元の座標軸で表現されるべきだが、それでは私達人間には視覚的に理解できないので、図6ではあえて2次元の座標軸へと次元数を圧縮して表現している。

この図を見れば、「男」と「女」、「王」と「女王」などが同じ人間として意味的に近いグループに属し、そこから少し離れたところに「犬」や「猫」、「魚」などの動物のグルー

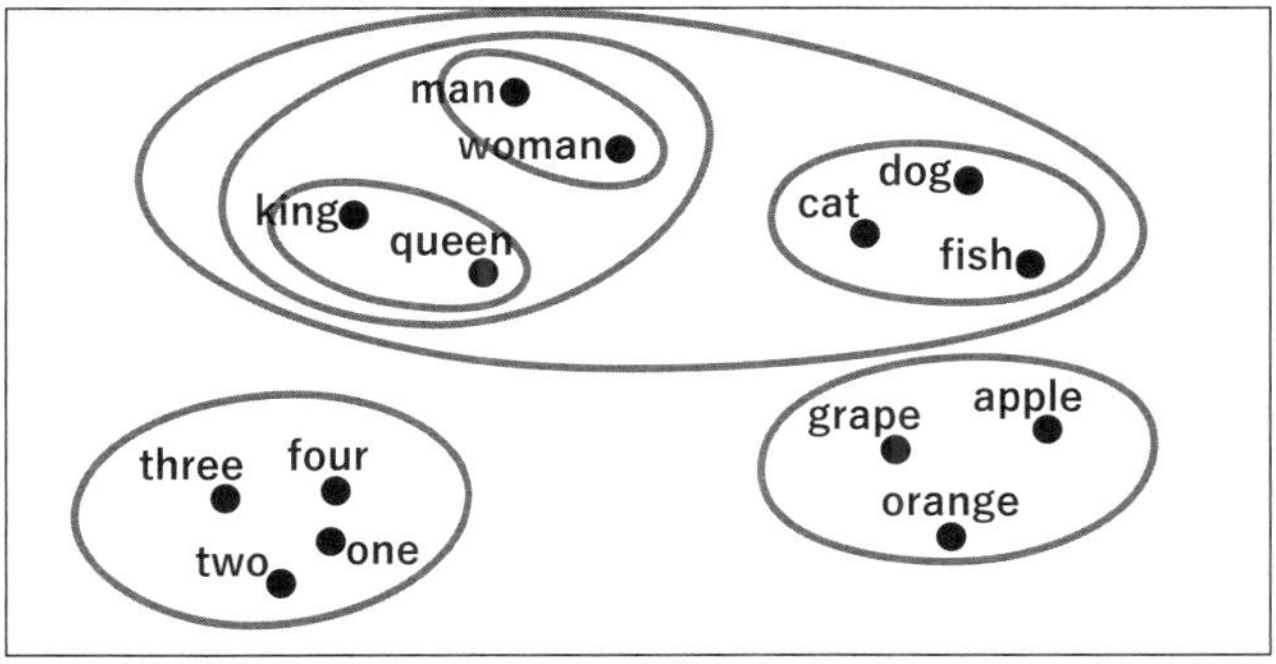

図6　エンコーディングでは「単語の意味」を座標空間上の位置に置き換える
出典："Sequence Models Complete Course," Andrew Ng, deeplearning.AI

プが位置している。それら人や動物とはまったく異なる食物グループに「リンゴ」や「オレンジ」「グレープ」などが属していることが見て取れる。

これらベクトル表現の数値は、研究者のような人間が頭を絞って考えながら各々の単語に割り当てているわけではない。むしろあらかじめ機械学習用のデータとして収集された何百万、何千万本というような膨大な文献をコンピュータがビッグデータ解析し、その学習結果に基づいて無数の単語の相関関係を改めて算出して自動的に割り当てる数値だ（図７）。

本来、私達人間にとって言葉の意味とは、生まれながらの感性や実世界での長期間に渡る経験、あるいは文化的背景などから育まれる直観的な概念だ。たとえば「王」という単語であれば、「き

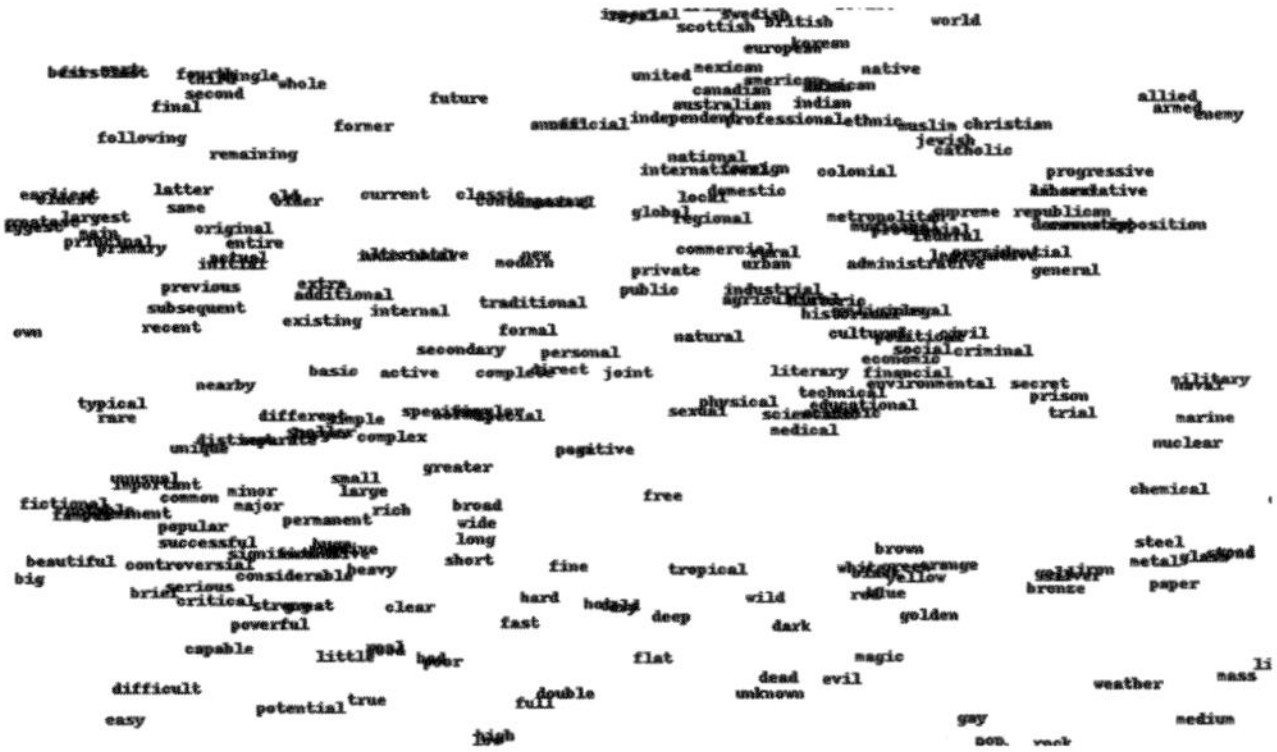

図7　膨大な文献のビッグデータ解析から割り出された無数の単語の相関関係図（の一部）
出典：http://spark-public.s3.amazonaws.com/neuralnets/images/Lecture4/turian.png

らびやかな王冠と豪華な衣装を身にまとい、立派な髭を蓄え、威風堂々とした、比較的年齢の高い、高貴な身分の男性」といったイメージを私達は自然に思い浮かべる。

しかしAIあるいはコンピュータにとって「王」という単語の意味は、（ビッグデータ解析の結果として割り出される）「女性」に対する「男性」、「平民」に対する「王族」、「食物」に対する「人間」……という多数の相対的関係から浮かび上がってくる数値的な概念なのである。これによって、異なる単語間の関係を“King - Queen = Man - Woman”のように数式で表現、あるいは計算できるようになる（図8）。

以上のように（単語など）言葉の意味をベクトルとして数値化することにより、本来計算用

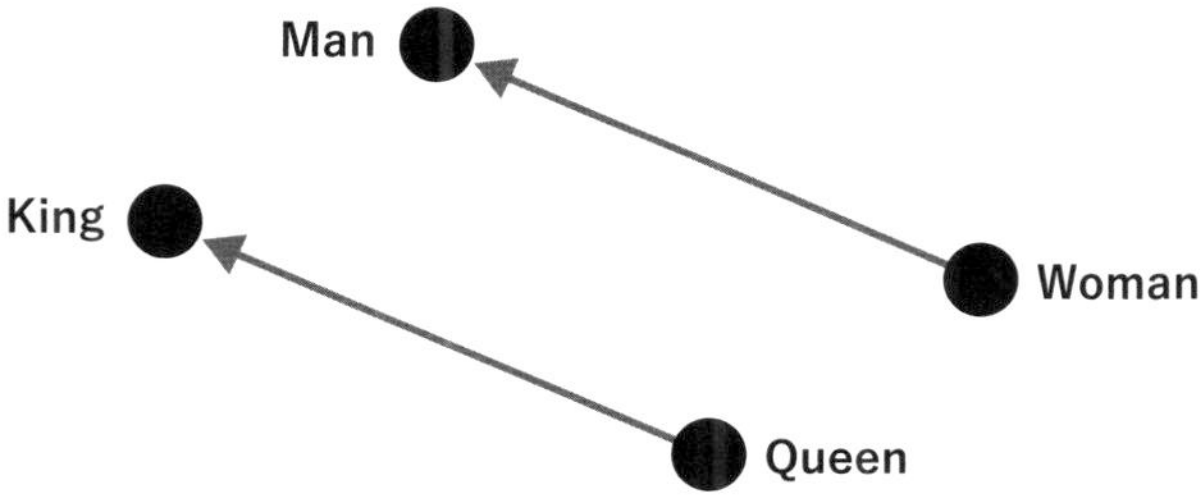

図８　単語の意味を表す座標空間上で、「女王（Queen）」から「王（King）」へと向かうベクトルは、「女性（Woman）」から「男性（Man）」へと向かうベクトルに等しい。これらの関係は「King - Queen ＝ Man - Woman」のような数式で表現できる
出典："Sequence Models Complete Course," Andrew Ng, deeplearning.AIを参考に著者が自作

の機械であるコンピュータが自然言語を処理できるようになる。これがまさにAI、あるいはコンピュータが言葉の「意味」を理解して操作するということなのである。

言語モデルはどのように文章を理解して生成しているのか？

以上のようなエンコーディングを経て、私達の話し言葉や文章などの自然言語はコンピュータやスマホのような機械にも扱えるベクトル表現へと変換される。これ以降の処理は「**言語モデル**」に任される。

言語モデルとは、自然言語の構造やパターンを学習し、新しい文章を生成するためのアルゴリズムあるいはコンピュータ・プログラムだ。最近話題になっているChatGPTのような対話型ＡＩのベースにある技術が言語モデルだ。

言語モデルは大量のテキスト・データをあらかじめ機械学習することにより、（あくまで統計的な形であるが）文法や単語の使い方、文脈などの情報を学習する。これに基づいてユーザーが発する質問やリクエストのような文章を解析したり、それに対する回答のような新しい文章を生成することができる。

従来のＲＮＮを用いた言語モデルでは、質問文などの入力データをいくつもの単語（トークン）に分解しエンコーディングしてから逐次的に処理（解析）していく。逐次的とは、単語を１個ずつ順番に処理していくという意味だ。

図９にその様子を示す。この図にあるx_1、x_2……等が、質問やリクエスト等の文章を分解して生まれた各単語だ。これらの単語が順番にＲＮＮに入力されていく。ＲＮＮは入力された単語を内部状態として保持し、次に入力される単語の処理に活用する。これにより文脈を考慮しながら、文章の構造や意味を把握することができる。

それが終わると今度は回答文の生成に入るが、ここでは逐次的かつ再帰的に処理がおこなわれる。

まず回答文の冒頭の単語として最も相応しい単語（y_1）を確率的に算出する。そのよう

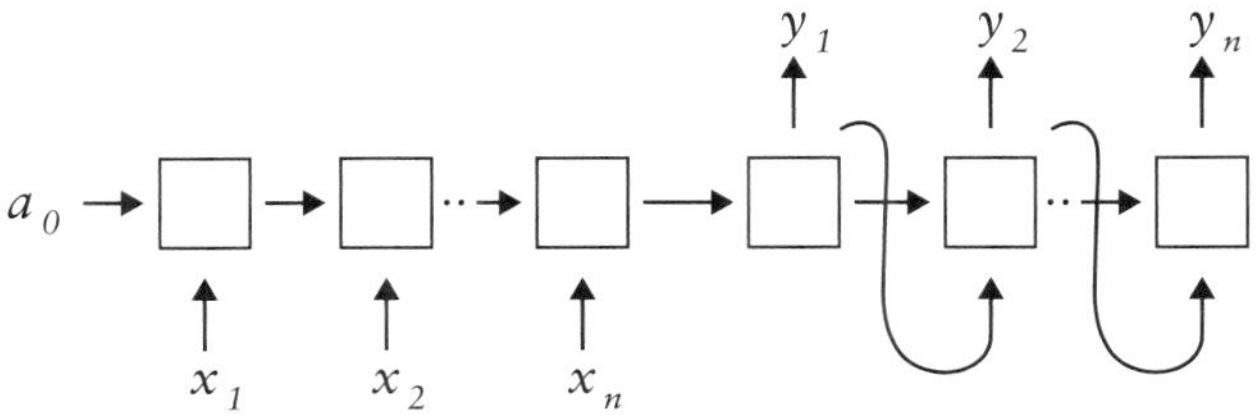

図９　RNN方式の言語モデルが質問などの入力文を処理して、回答文などを出力する仕組み
出典："Sequence Models Complete Course," Andrew Ng, deeplearning.AIを参考に筆者が作成

にして最初の単語が生成されたら、それを（コンピュータ画面などに）出力すると同時に自身にフィードバックして入力し、その単語に続く確率が最も高い単語（y_2）を算出する。この作業を繰り返す。

このように単語と単語を確率的につなぐことによって、言わば芋づる式に言葉の連鎖を引き出し、回答文を生成していくのである。

ただ、以上のような説明を聞いても納得できない方は多いと思う。「確率的に単語をつないでいくだけで、本当に回答として意味のある文章を生成することができるのか？」と。

正直、筆者も腹の底から納得しているとは言い難い。

しかし、ニューラルネットの開発者など専門家に言わせると、このようなやり方でも、ある程度の成果は出せるのだという。前述のように、言語モデルはあらかじめ膨大なテキスト・データを機械学習することにより、（私達人間の理解と

Neural Language model

I want a glass of orange ________ .

P(I want a glass of orange king) ＝ 2.3×10^{-13}

P(I want a glass of orange juice) ＝ 5.7×10^{-10}

図10　言語モデルでは、ある単語の次に続く単語が確率的に算出される
出典："Sequence Models Complete Course," Andrew Ng, deeplearning.AIで使われた画像を著者が編集

はまったく違う形ではあるが）文法や習慣的な言葉の使い方、文脈に沿った情報の扱い方などを習得している。

言語モデルが次の単語を予測する際、そうした機械学習による過去の経験値を活用する。つまり過去に学んだ大量のデータにおいて、特定の文脈で特定の単語が出現することが多い場合、またそれが文法や言葉の使い方に違反していないと判断される場合、そのような単語の組み合わせが高い確率で選択されるという。

たとえば英語で"I want a glass of orange"の後に続く単語を考えてみよう（図10）。これは日本語に訳せば「私は1杯のオレンジ（　）が欲しい」の（　）の中に入る単語を予想する穴埋め問題に等しい。

言語モデルは機械学習の結果に基づいて、その単語が「juice（ジュース）」である確率（P）は「5.7×10

のマイナス10乗」であると算出する。これは小数点の後にゼロが９個も続くほど極めて小さな値だ。それも当然である。なぜなら、言語モデルは膨大な数の単語が用意されている辞書データのなかから、たった１個の単語を選択するのだから、その確率が小さくなるのはもっともなのである。

しかし、その単語が「king（王）」である確率は「2.3×10のマイナス13乗」と、さらに小さな値である。このように自らの確率はどれほど小さくても、他の候補に比べれば相対的に大きいという理由で、「juice（ジュース）」が次に続く単語として選ばれるのだ。結果的に生成された文章は「I want a glass of orange juice（私は１杯のオレンジジュースが欲しい）」となり、これは私達人間にとっても意味のある文章となっている。

自然言語処理がＡＩの「最大の壁」だったわけ

このようなＲＮＮ方式の言語モデルをベースとする「チャットボット（お喋りＡＩ）」、つまり「対話型のＡＩ」は２０１０年代だけでも多数開発された。

たとえば２０１４年にマイクロソフトの中国本部で開発された「小冰（XiaoIce）」などが、

その代表であろう。これはその翌年に日本語版が開発され、「りんな」という商品名でスマホ・アプリ等としてリリースされた。

筆者も当時、このチャットボットを試しに使ってみたが、こちらの質問に対して時折ボケた答えが返ってきて、それが妙に可愛らしかった、という記憶が残っている。が、総じて「りんな」はこちらの質問をほとんど理解しておらず、結果的に頓珍漢な答えが返ってくるケースが多くて、まともな会話が成立することはごく稀だった。正直「まだ使い物にならない」という印象が強かった。

これは筆者だけの個人的な感想にとどまらない。一般に当時のチャットボットに対するユーザーの評価は厳しかった。

それらのチャットボットはいつまでたっても答えを返してこないなど、文章を生成するのに長い時間がかかってしまう。それでも短くて単純な質疑応答には何とか対応できるが、長い対話や若干込み入った複雑な質問などには歯が立たない。たとえ何らかの答えが返ってきても、意味不明であったりすることが多い。また対話に一貫性が欠け、文脈に沿った発言ができない。

これらの問題等から、当時のチャットボットはごく一部のファン層には受け入れられたが、広く一般ユーザーに普及するまでには至らなかった。

このチャットボットに限らず、一般に自然言語処理はＡＩにとって「最大の壁」と見られてきた。確かにディープラーニングのような多層ニューラルネットは画像・音声などのパターン認識では人間をしのぐレベルに達したが、これらは言わばＡＩがモノを見たり、聞いたりする能力であって、犬や猫、猿など人間以外の動物でもできることだ。

しかし、その先にある「言葉を理解して操る自然言語処理」は人間固有の高度な能力であり、それだけにＡＩにとってもハードルが高かったと見ることができるだろう。「記号処理型のＡＩ」など古典的な方式は言うに及ばず、ＲＮＮなど比較的最近のＡＩでも、さまざまな技術的課題が行く手に立ち塞がって、研究者が期待するほどの成果はなかなか出すことができなかった。

（前述のように）ＲＮＮは逐次的に情報を処理するため、文章が長くなると処理に時間がかかると同時に、それまでに入力された単語などの情報を保持（記憶）するのが難しくなる。これは特に長い文書において、その正確な理解や予測をおこなうことを困難にしてしまう。

またＲＮＮは複雑な文脈を理解する能力が乏しかった。もちろん、ある程度まで理解することはできたが、お世辞にも十分とは言えなかった。私達が日頃、何気なく使っている言葉は実は非常に複雑で多様性に富んでいる。同じ言葉が異なる文脈に応じて異なる意味を持つことは珍しくない。

ＲＮＮ方式の言語モデルは言葉をエンコーディングする過程で個々の単語をベクトル表現に変換するが、このベクトルを表す数値が一旦算出されると、しばらくはその値に固定されてしまうので、多様な言葉の使い方による複雑な文脈の変化を十分に捉えることができない。

たとえば「女はピッチャーに残っているビールを自分のジョッキに注ぎ始め、それが満たされるまで注ぎ続けた」という文章における「それ」は、明らかに「ジョッキ」を指している。

この文章の直後に「男はピッチャーに残っているビールを自分のジョッキに注ぎ始め、それが空《から》になるまで注ぎ続けた」という文章が続いた場合、今度の「それ」は「ピッチャー」を指している。

確かに紛らわしくはあるが、私達人間であれば、この程度の文脈の変化には楽々と対応して、各々「それ」が指している物が何であるかを正しく把握することができる。しかし、基本的に固定されたベクトル値など言語表現に限界を抱えているＲＮＮでは、そうしたトリッキーな文脈の変化に対応することができない。

そもそもＲＮＮは単語と単語の相互的な依存関係を把握するのが苦手なので、いずれのケースにせよ「それ」が「ピッチャー」と「ジョッキ」のどちらを指しているか正確に判定できるかどうかも怪しい。ある種の確率的な揺らぎに応じて、正しく判定できる場合もあれば誤ってしまう場合もあるのだ。

また文章を逐次的（直列的）に処理するため、大量の文書データなどを扱う際に非常に長い時間を要してしまい、ときには答えが出ないといった問題も抱えていた。

これらの問題から、ＲＮＮなど従来の言語モデルはＡＩ研究者から見て「かなりよい線までは行ったが、最後の壁を突破して十分な実用化に到達するまでには至らない」という状況がかなり長期間にわたって続いてきた。

第4章

トランスフォーマーの登場と大規模言語モデルへの道

――2017年のブレークスルー

2017年に発表された衝撃の論文

第3章で見てきたように、人工知能の始まりとなるダートマス会議から優に半世紀以上もの歳月を費やしても、AIはいま一歩のところで私達の話す言葉を理解できなかった。この自然言語処理の「最後の壁」を突破したのが、「**トランスフォーマー**」と呼ばれる新しい方式のニューラルネットだ。

この方式が初めて提唱されたのは、2017年にグーグルの研究チームが発表した

「**Attention Is All You Need**（**注意こそ必要とされるすべてだ**）」という論文である。[1] これが自然言語処理に革命をもたらすと同時に、その後登場する大規模言語モデルのバイブルとしてＡＩ研究者の間に広まっていったのだ。

８人の共著者が名を連ねる同論文の第１著者は、インド出身のＡＩ研究者**アシシュ・ヴァスワニ**（**Ashish Vaswani**）。２０１７年には、グーグルにいくつかあるＡＩ開発部門の１つ「グーグル・ブレイン」に所属していた。

当時、グーグル・ブレインの研究チームは米エヌビディア製の高速ＧＰＵ（グラフィクス・プロセシング・ユニット）を何個もフル稼働させて、ヴァスワニらが発案したトランスフォーマー方式の機械翻訳システムを開発していた。

その研究成果をまとめた論文は同年12月、米カリフォルニア州のロングビーチで開催されるＡＩ関連のトップ学会「NeurIPS（ニューリップス）」で発表されることになっていた。

論文締め切り日の前夜、ヴァスワニと共著者の１人エイダン・ゴメス（Aidan Gomez）は、グーグルの社屋で論文の執筆作業に没頭していた。このときヴァスワニは30代に入って間もない気鋭の研究者、ゴメスはカナダのトロント大学からグーグルに来ていたインターン（実習生）であった。

その晩は2人とも徹夜を覚悟していた。それでも日付が変わってから何とか論文を書き終えると、2人は小会議室の床に横たわってようやく眠りに就くことができた。

翌朝、誰かがその部屋に入ろうとして押し開けたドアが、床で寝ていたゴメスの頭にぶつかって彼は目を覚ました。時計を見ると締め切り時間の直前だったので、すぐそばにあったパソコンから大慌てで論文をオンライン投稿した。

当時の様子を、ゴメスは次のように回想している。[2]

「アシシュ（ヴァスワニ）はその晩、私に『この論文は非常に大きな出来事になる。（AI開発の）ゲーム・チェンジャーになることは間違いない』と語ったが、私にはその確信がなかった。むしろベンチマーク・テストで多少の性能アップにはつながる（が、所詮はその程度）だろうと思ったのだ。しかし蓋を開けてみると、彼の言ったことがまったく正しかった」

この論文のなかで、トランスフォーマーの中核要素として考案されたのが「**自己注意（Self Attention）**」と呼ばれるメカニズム（仕組み）だ。

自己注意メカニズムはニューラルネットに入力された文章の各単語を、他のすべての単語との関係性に基づいて重み付けする。つまり、ある単語から見て、別の単語が「自分にとってどの程度関係していて重要なのか」を計算するのである。

このような仕組みによって、文脈に応じた単語のベクトル表現が得られる。つまり単語の意味やそれが指す対象などは固定されず、むしろ周囲との関係性によって変化する。こうした柔軟な言語表現が（第３章の）「ピッチャー」「ビール」「ジョッキ」「それ」など複雑な文脈の理解を助けるとともに、あたかも人間が書いたかのような自然な文章の生成を可能としたのである。

またトランスフォーマー・モデルは構造的には直列的なネットワーク構造のＲＮＮよりも、むしろ並列的な構造のＣＮＮ（畳み込み型ニューラルネット）とよく似ている。このためトランスフォーマーは多数の単語を逐次的（順番）に処理するＲＮＮとは対照的に、すべての単語を同時並列的に処理することができる。

これは前述の自己注意メカニズム、つまり個々の単語を他のすべての単語との関係性に基づいて重み付けする仕組みを可能にすると同時に、大量の文書などビッグデータの処理に要する時間を大幅に削減することができる。また非常に長い文章のなかで、遠く離れた単語同士の依存関係を捉えるにも効果的だ。

ちなみになぜ「自己注意」メカニズムと呼ばれるかというと、そうした「重み付け」によって各単語が他の単語に対して、あたかも「注意」を払っているかのように見えるからだ。このような重み付けの計算が「自身」も含めたすべての単語に対しておこなわれるため、「自己」注意と呼ばれるのだ。

「大規模言語モデル」の誕生

以上のような技術的メリットにより、トランスフォーマーは自然言語処理の分野で急速に普及していった。

この論文が発表された翌年の２０１８年には、トランスフォーマーの発案者ヴァスワニらの研究チームを擁するグーグルが「**ＢＥＲＴ（バート）**」と呼ばれる言語モデルを開発した。

ＢＥＲＴは“Bidirectional Encoder Representations from Transformers”の略で、その名称の末尾に“Transformers”があることからも、これがトランスフォーマーに基づく言語モデルであることがわかる。

ＢＥＲＴは大量のテキスト・データを機械学習することによって賢くなっていった。それが具体的にどんな学習であったかは、この種のシステムの本質を知る上で非常に興味深い。

グーグルの研究者達はウェブ上を漁って、電子化された論文や小説をはじめ大量のテキスト・データを集めて、トランスフォーマー方式の言語モデルに入力して学習させた。その際、それらの文章の一部をマスク、つまり隠して入力したのである。当時、実際には英語であったはずだが、ここではわかりやすくするために日本語で例文を示そう。

「止まることを知らない（　　　　　）の諸分野において、今、最大の注目と（　）を集めているフロンティアは、最近世界的な（　　　）を巻き起こしている「人工知能」と（　　）のような「遺伝子工学」だろう。その理由には、（　　）が今、爆発的な技術革新の（　　）にあることに加え、私達を取り巻く（　　　）の変化も挙げられる」

一旦、このような文章を入力して、そこで隠された（　　　）の部分を言語モデルに予測させた後で、今度は正解となる次のような文章（原文）を入力してやる。

「止まることを知らない〈科学技術〉の諸分野において、今、最大の注目と〈期待〉を集めているフロンティアは、最近世界的な〈ブーム〉を巻き起こしている「人工知能」と〈ゲノム編集〉のような「遺伝子工学」だろう。その理由には、〈両者〉が今、爆発的な技術革新の〈真っ只中〉にあることに加え、私達を取り巻く〈社会構造〉の変化も挙げられる」

言語モデルはこれらを比較して一種の答え合わせをすることによって、正しい言葉の予測方法を学んでいく。何十万、何百万本というような大量の文献を相手に、この種のトレーニングを繰り返すことで、さまざまな単語がどのようにしてお互いの関係性を構築しながら、意味のある文章を紡ぎ出していくかを学んでいく。

それればかりではない。研究者達は大量の新聞記事を言語モデルに入力して、同じ事件を扱った異なる記事の内容を互いに比較させる。あるいは電子化された百科事典やウィキペディアなどの情報を入力して、さまざまな専門用語とその概念をマッチングさせたりする。

これらの複雑な訓練によって、言語モデルに多彩な知識や社会常識、あるいは世界観なども学ばせたのである。

この種の機械学習を完了した言語モデル「ＢＥＲＴ」に、グーグルの研究チームは大学の英語入試問題などのテストを受けさせた。あるパラグラフのなかで（　）の中に入る単語を予想させる穴埋め問題や、一連の文章の後に続く次の文章を予想させる問題などを解かせたのである。

従来の言語モデルでは、それらの正解率は約60％だったが、ＢＥＲＴではその値が一挙に88％にまで跳ね上がった。これは人間の言語能力に匹敵すると判定された。

当時、米国のＡＩ研究者の間では「ＢＥＲＴのような言語モデルが進化を続ければ、いずれは単なる穴埋め式問題ではなく、私達人間と本当に会話ができるＡＩが誕生するのではないか」と見る向きもあった。

グーグルのＡＩ研究部門を率いるジェフ・ディーンもその1人だ。当時、彼は「（人間と会話などができる）本格的な自然言語処理を実現する上で、言語モデルのような方法は間違いなく正しい」と断言していた。一方で「ただしシステムの規模を桁違いに大きくすると同時に、それを処理する高速な専用ハードウエアを開発する必要がある」と条件もつけていた。

システムの規模とは、具体的には言語モデルに含まれるパラメーターの総数を意味する。

当時のＢＥＲＴには約１億１０００万個のパラメーターが含まれていた。パラメーターが多ければ多いほど、言語モデルの学習能力や表現力は高まるが、その一方で大量データの機械学習やその後の予測作業に必要とされる計算コストも大きくなる。

当時この問題を解決したのが、その数年前にグーグルが開発した「**ＴＰＵ**（**Tensor Processing Unit**）」と呼ばれる特殊なプロセッサ（演算装置）だ。

ＴＰＵはディープラーニング専用のプロセッサで、これを言語モデル（システム）に多数組み込むと、それまでとは桁違いに大量のコーパス（文献データ）を比較的短時間で機械学習することが可能になった。正確な個数は不明だが、ＢＥＲＴには数十個のＴＰＵが使われたと見られている。

これらの取り組みがシステムの処理能力を大幅に向上させ、ＢＥＲＴという画期的な言語モデルを生み出す主要因になったとされる。

これを契機に、シリコンバレーで言語モデルの開発競争に火がついた。

当時、グーグルと競うように言語モデルの開発を進めていたOpenAIは「**ＧＰＴ**（**Generative Pre-trained Transformer**）」と呼ばれるトランスフォーマー方式のニューラルネットを開発した。

その2番目のバージョンとして2019年に発表された「GPT‐2」には、BERTを上回る約15億個のパラメーターが含まれていた。

GPT‐2は単なる文章の穴埋め問題などを解いたりするだけではなく、ユーザーとテキスト・ベースの会話、つまりチャットをしたり、そのリクエストに応じて簡単な物語や記事などを生成することができた。現在の生成AIの原型とも言えるだろう。

翌2020年2月にマイクロソフトが発表した言語モデル「TuringNLG」には、約170億個のパラメーターが含まれていた。同じくトランスフォーマー・モデルに従って、ユーザーとのチャットや質疑応答、文章の要約や機械翻訳などの自然言語処理をおこなうことができた。

これらOpenAIやマイクロソフトなどの言語モデルは、グーグルのTPUの代わりに、米エヌビディア製のGPU（グラフィクス・プロセシング・ユニット）など、やはりディープラーニング用の高速プロセッサを多数使用している（GPUはもともとビデオゲームの画像処理用に開発された専用プロセッサだが、その後はディープラーニングのようなAI開発にも頻繁に使われるようになった）。

しかしIT関係者の度肝を抜いたのは、同じく2020年の5月にOpenAIが発表した

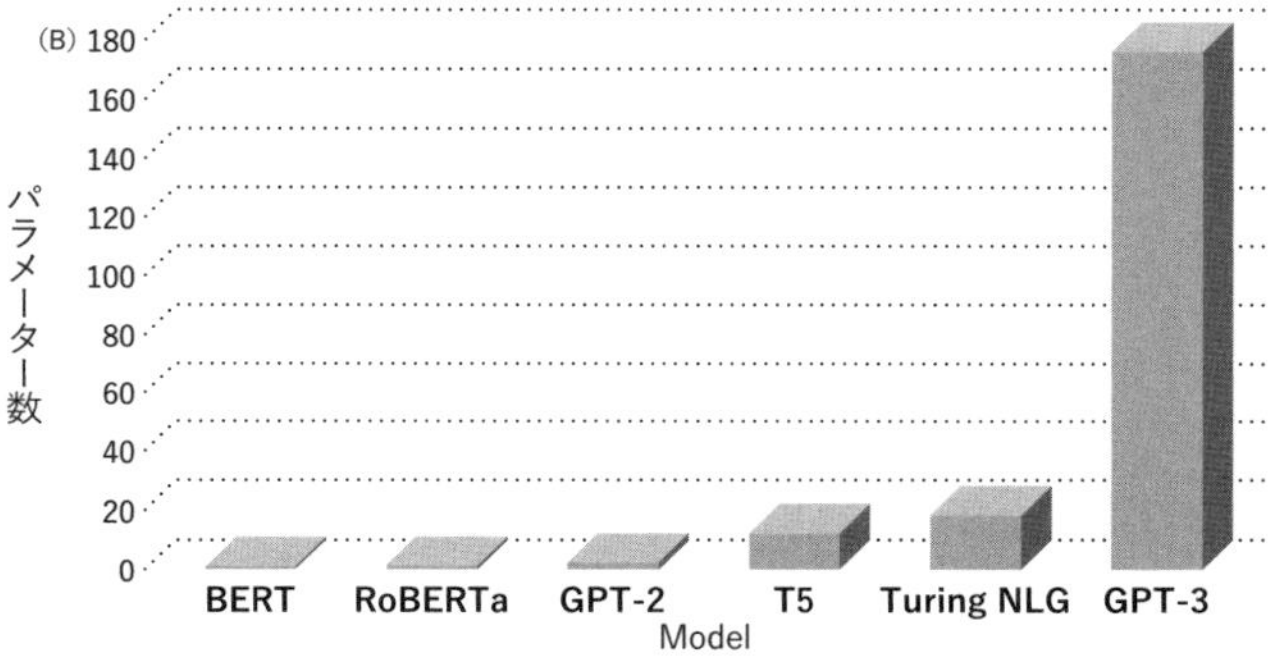

図11　大規模言語モデルのパラメーター数の推移（縦軸のBはBillion＝10億を意味する）
出典：https://towardsdatascience.com/gpt-3-the-new-mighty-language-model-from-OpenAI-a74ff35346fc

「GPT－3」だった。これはTuringNLGの10倍以上となる1750億個ものパラメーターを備えていた（図11）。

この頃からAI研究者は奇妙な現象に気付き始めた。

従来、言語モデルのパラメーター数を増やして大規模化し、そこに膨大なテキスト・データを入力していっても、それらの量がある一定の閾値を超えれば性能の向上が頭打ちになる、いわゆる収穫逓減の傾向を示すのではないかと見られてきた。

ところが実際にはシステムを大規模化して入力する学習用データを増やせば増やすほど、言語モデルの性能は天井知らずで上昇していった。そして不思議なことに、この分野に関わる

ＡＩ研究者でも、未だ、その理由をつかみかねているのだ。

このように大規模化が加速する言語モデルは、いつしか「**大規模言語モデル**（**Large Language Model：ＬＬＭ**）」と呼ばれるようになった。

その代表とも言えるＧＰＴ-３は２０２０年５月、米国のＩＴ専門家や報道関係者など一部のユーザーに向けて限定的にリリースされたが、これを実際に使ってみた人達からは驚くべき結果が報告された。

たとえば「この度、一身上の都合で退職を決意しました」あるいは「ベン、ごめんね、私、貴方とこれ以上一緒にいられない」という冒頭の一文を入力するだけで、ＧＰＴ-３は普通の人間なら書くのが気が重い退職届や別れの手紙などを手早く書き上げてくれるという。しかも、それらがまるで人間が書いたかのような実《まこと》しやかな文章なので、ユーザーは仰天した。

別名、「基盤モデル」

こうした大規模言語モデルはまた、予想外の汎用性も示した。本来テキストを生成するはずのGPT-3が、OpenAIの研究者も驚いたことにコード、つまりコンピュータ・プログラムも出力し始めたのだ。

その理由は、こうしたAIが機械学習用に読み込んで消化した膨大な文献のなかに、大量のコンピュータ・プログラムも含まれていたからだ。AIにしてみれば、読み込むものがテキスト(文章)であろうとコードであろうと文字列であることに変わりはない。結果的に、本来テキストを出力するはずのGPT-3は、ユーザーのリクエストに応じてコードも生成し始めたのである。

これを見たOpenAIの研究者らは、今度は「Codex」と呼ばれる生成AIを開発し、これに大量のコンピュータ・プログラムを読み込ませて機械学習させた。

その際、機械学習用の教材(学習用データ)として使われたのが、マイクロソフト傘下のソフト開発プラットフォーム「GitHub」に眠っている豊富なプログラミング資源である。GitHub上には世界中のプログラマーから寄せられたオープンソース・コード、つまり誰でも自由に使えるプログラムが大量に保存されている。これら膨大なコードを消化(機械学習)することによって、コード生成AI「GitHub Copilot」が誕生した。

コード生成AIとは文字通りコードを生成する人工知能である。プログラマーがプログラムの始まりとなる何らかの文字列をタイプ入力すると、「GitHub Copilot」はちょうどオート・コンプリート（自動補完）のような格好で、その文字列に続く一連の文字列、つまり新たなコードを推測して大量に出力してくる。

もちろん、その出力結果は完璧ではなく、ときには誤ったコードも出力されるので最終的にはプログラマーによるチェックと修正が必要となるが、それでも利用者の間では「プログラミングの生産性を10％程度上げる」と高く評価されている。

OpenAIはまた、ＧＰＴ－３をベースに「DALL-E」と呼ばれる画像生成ＡＩを開発することにも成功した。DALL-Eも同じくトランスフォーマー方式のニューラルネットであり、本来言語モデルであるＧＰＴ－３にウェブ上から掻き集めた大量の絵画やイラスト、写真などの画像データを追加的に機械学習させることで生まれた。

このような汎用性は実はOpenAIのＧＰＴ－３に限らず、トランスフォーマー方式の大規模言語モデル全般に見られる現象だ。それらのＬＬＭはいずれも、あらかじめ大量の論文や小説、詩、新聞記事など多様なテキスト・データで訓練されているので、必然的に広範な知識や技能を蓄えている。これが「ＧＰＴ（Generative Pre-trained Transformer）」などの呼称に含まれる「**Pre-trained**（**あらかじめ訓練された**）」の由来となっている。

このため、ＧＰＴのようなトランスフォーマー・モデルはその後の**ファインチューニング**（**追加学習**）によって、さまざまな用途に特化した専用モデルへと改良することができるのだ。

ここでファインチューニングとは、大規模言語モデルに（前述の）「コンピュータ・プログラム」や「画像」のような別種のデータを入力して機械学習させ、それら個別のデータやタスクに特化したシステムへと改良することだ。

こうしたことからトランスフォーマー方式の大規模言語モデルは、別名「**基盤モデル**（**Foundation Model**）」とも呼ばれる。つまり個別に特化した、あらゆる種類のアプリケーションやサービスの「基盤」となる一種の汎用性を備えたＡＩという意味である。ただし一般に「**ＡＧＩ**（**Artificial General Intelligence：人工汎用知能**）」と呼ばれる、意識すら備えているかもしれないようなスーパーＡＩとは別物である。

今後、産業各界の企業がＧＰＴ-４のような基盤モデルを導入し、これを自社に蓄積された大量の業務データでファインチューニング（カスタマイズ）すれば、その会社の業務に特化した対話型などの生成ＡＩを比較的手軽に実現することができる。

たとえば、ある銀行が顧客対応の効率化や業務自動化などを目的に基盤モデルを導入すると仮定しよう。

その場合、まず最初は、OpenAIのGPT-4あるいは（後述する）グーグルの「PaLM 2」や「LaMDA」などいくつかの候補のなかから、自社のケースに最適な基盤モデルを選択する。この基盤モデルに自社のデータで追加学習させる。その学習用データには、過去の顧客対応履歴やFAQなどの各種業務データ、銀行業務に関するマニュアルなどが考えられる。

このようなファインチューニングを完了した個別モデルは、顧客対応チャットボット、融資申請審査などの自動化システム、取引データや顧客情報を解析して詐欺などを見つける不正検出システム、あるいは売上分析や顧客セグメンテーションに基づきマーケティング戦略の立案を支援するシステムなど、多様な用途が見込まれる。

これ自体は素晴らしいことかもしれないが、そこには思わぬ落とし穴も潜んでいる。

つまり今のところ基盤モデルを開発・提供できるのは、世界でも一握りの会社、基本的にはグーグルやマイクロソフト、メタ（旧称フェイスブック）、あるいはOpenAIのような米国の一部IT企業に限られているということだ。

潤沢な資金力を誇る百度（Baidu）をはじめ中国の巨大IT企業ですら、大規模言語モデルの開発では出遅れてしまい、これら米国勢にはなかなか太刀打ちできない。たとえば百度はOpenAIやグーグルの後を追って「文心一言（Ernie）」というチャットボットを開発したが評判はかんばしくなく、その発表後に同社の株価はかなり下落した。

大規模言語モデルつまり基盤モデルを開発するには事実上のスパコンにも匹敵する大型の計算機資源を使って、ウェブ上から収集した膨大なデータを長期間に渡って断続的に機械学習させる必要がある。そのためには最低でも5億ドル（650億円以上）の開発費が必要とされ、一般の中小企業はおろか大手企業ですら自主開発は容易ではない。

結果、これら大小さまざまの企業が今後、同業他社との競争に打ち勝つために先進のAIシステムを導入しようとすれば、OpenAIやグーグル、マイクロソフトをはじめ一部IT企業が提供する基盤モデルに頼らざるを得なくなる。これはある意味、自らの急所をそうした米国のハイテク企業に握られるに近い状況であって、必ずしも好ましい事態とは言えないだろう。

「基盤モデル」という言葉を最初に使いだしたのは、米スタンフォード大学の研究者たちとされる。彼らは2021年8月、同大に「**基盤モデル研究センター**（**Center for Research on Foundation Models：CRFM**）」を設立し、その所信を述べるための論文を発表した[3]。そのなかで基盤モデルの現状と今後の可能性、技術的課題などを報告すると同時に、モデルのバイアスや倫理的問題などにも言及して警鐘を鳴らしている。

こうした学界の専門家らは、グーグルやマイクロソフト、メタのようなビッグテックよりも、むしろ営利事業とはほぼ無関係の大学が主導して大規模言語モデルの普及を図るほうが、社会にとって好ましいと考えているようだ。そのために「基盤モデル」という一種のスローガンを打ち出して、そのＰＲ活動を展開してきたのである。

ＬＬＭの大衆化に成功したChatGPT

大規模言語モデルの研究開発において、OpenAIやビッグテックなどの米国勢が半ば独走状態にある理由はある意味、怪我の功名でもある。

ここまで紹介してきたようにグーグルは当初、トランスフォーマー・モデルの発案など大規模言語モデルの研究開発で同業他社をリードしながら、その商業的価値を十分に認識することができなかった。また検索エンジンなど自らの主力事業への悪影響を懸念したため、大規模言語モデルを商品化してリリースすることを当分の間自重した。

メタもまた、かなり以前から「BlenderBot（ブレンダーボット）」や「Galactica（ギャラクティカ）」など大規模言語モデルの研究開発を続けてきたが、その一般公開の仕方に失敗して、それらの事業化からは一時的に撤退を余儀なくされた（これについては本章で後述する）。

結果的に大規模言語モデルつまり基盤モデルは、これら米ビッグテックによる研究プロジェクトの段階にとどまり、広く世界に知られることはなかった。が、その間にも水面下では活発な研究開発が続けられたため、それに気付くことができなかった外国勢の企業は米国勢に遅れをとってしまったのだ。

そうしたなか、例外的に大規模言語モデルのPR活動を積極的に進めてきたのがOpenAIだ。同社はＧＰＴ-３を報道関係者などを通じて限定的に公開することにより、その能力や将来性を間接的ながらも一般社会に知ってもらおうとする努力を続けてきた。

これについて興味深いエピソードがある。

２０２０年、ＧＰＴ-３がメディアやＩＴ業界の専門家などに限定して公開されると間もなく、OpenAIの研究者達は経営陣の指揮下で、より高性能の次世代言語モデルＧＰＴ-４の開発に取り掛かった。その作業は概ね順調に進み、一定期間の社内テストや微調整などを経て、早ければ２０２３年の初頭にも（ＧＰＴ-３と同様）報道関係者など一部のユーザーに対して限定的に公開される予定だった。

ところが、ＧＰＴ-４の開発も終盤に差し掛かった２０２２年の11月中旬、サム・アルトマンＣＥＯら経営陣はOpenAIの研究チームに向かって、突如、別の開発プロジェクトの開始を命じた。[4]

それは１つ前のバージョンである大規模言語モデルＧＰＴ-３を半ステップだけ改良した「ＧＰＴ-3.5」をベースに、「チャットボット」つまりユーザーとテキスト・ベースの会話ができる親しみやすいＡＩを開発するプロジェクトであった。

しかし、この命令はOpenAI開発陣の不興を買った。「次世代のＧＰＴ-４が完成も間近の今頃になって、なぜあえて古いバージョンのモデルに基づくチャットボットを世に出さねばならないのか？」と研究者達は不審に思ったのだ。

それでもチャットボット開発プロジェクトは半ば強引に進められることになった。アルトマンＣＥＯら経営陣には、ＧＰＴ-３公開時の苦い経験に基づく強い動機があった。２０２０年に限定公開されたＧＰＴ-３はプレス報道などを通じて、確かにある程度の評判を勝ち得ることができた。しかし一般ユーザーが直接これを利用する機会は生まれなかったので、その能力や可能性を社会全体に強く印象付けるまでには至らなかった。

　そもそもGPT-3のような大規模言語モデルは一般人に扱えるような代物ではなかった。実際にはOpenAIの研究者が新聞記者やテレビ・レポーターらの前でそれを操作して、人とAIが会話できる様子などをデモンストレーションした。その様子が各種メディアで報道されることによって、GPT-3の能力が間接的に世間に知られるようになったのだ。

　そこで経営陣は今回、本命のGPT-4が公開される前に、従来の技術でチャットボットを開発し一般公開することにより、GPT-4が世間から受け入れられるための地ならしをすることにした。また、チャットボットを人々に直接使ってもらうことで大規模言語モデルの真価を世間に印象付け、今後の研究開発に必要となってくる新規投資などを呼び込もうとしたのである。

　この目論見はズバリと当たった。開発プロジェクトの開始からわずか2週間で完成へとこぎ着けたチャットボットは「ChatGPT」と名付けられ、OpenAIのウェブサイトから無料で公開された。

　その流ちょうな会話能力、しばしば誤った回答を返すとはいえ広範囲に渡る深い知識、ときにボケた回答を返してくるユーモラスな側面なども相まって、ChatGPTは瞬く間に世界中で使われるようになり大人気を博した。これによりOpenAIはマイクロソフトから推定１００億ドルとも言われる新規投資を呼び込むことに成功した上、今やビッグテックと肩を並べるほどの世界的な知名度を確立するに至った。

ChatGPTの開発プロジェクトがスタートする直前、メタがリリースした対話型ＡＩ「Galactica」が誤った回答や人種・性的な偏見などからサービス停止に追い込まれた。このため、OpenAIが俄仕立《にわか》てのチャットボットをリリースすることには社内からも懸念の声が聞かれた。

しかし、あえてリスクをとってChatGPTの一般公開に踏み切ったアルトマンＣＥＯらの決断が（恐らくは幸運も作用して）吉と出たようである。もちろん運が悪ければ逆に転んでいた可能性もあるが、これればかりは今となってはわからない。とにかく彼らは賭けに勝った。

と同時に、大規模言語モデルのような画期的技術の商品化においては、その開発力とともにプレゼンテーションの仕方がいかに重要であるかを改めて知らしめることにもなった。仮にOpenAIがChatGPTを一般公開していなかったとすれば、恐らく大規模言語モデルは未だにグーグルなどビッグテックによる半ば水面下の研究プロジェクトに止まっていたであろう。

最終的には、その真価を世間に知られることなくプロジェクトが幕を閉じるか、よくても、せいぜい検索エンジンのような主力事業を側面から支援する程度の位置付けに終わっていたかもしれない。

ChatGPTのような誰にも親しみやすいユーザー・インタフェースで提供されたからこそ、大規模言語モデルという革命的なＡＩ技術がようやく日の目を見て、世間から受け入れられることへとつながったのだ。

飛躍的に向上したＧＰＴ-４の理解力と言語能力

OpenAIは２０２３年３月、次世代の大規模言語モデル「ＧＰＴ-４」をリリースした。

OpenAIによれば、ＧＰＴ-４はそれ以前のＧＰＴ-3.5よりも情報の精度が高まっているという。つまり誤った情報や幻覚などの問題がかなり解決されている、ということだ。

また性別や人種などに関するバイアス（偏見）などの問題もかなり改善されたが、それでも完全にそれらを払拭《ふっしょく》することはできないという。

実際はどうだろうか?

GPT-3.5と比較するために、第1章と同じリクエストや質問をいくつか投げかけてみよう。

まず最初は「経済学の最新理論」についてだ。

MA

経済学の最新理論をいくつか解説してください

経済学は絶えず進化しており、新たな理論が次々と提案されています。以下に、現代経済学のいくつかの最新理論を紹介します。

1. ネットワーク経済学:

ネットワーク経済学は、経済活動におけるネットワークの役割と構造を研究する分野です。インターネットやソーシャル・メディアの台頭に伴い、企業や個人間の相互作用が複雑なネットワーク構造を形成しています。この分野では、ネットワーク形成や情報伝達、外部性、市場構造などの研究が行われています。

2. 行動経済学：
行動経済学は、経済学の理論と心理学の知見を組み合わせて、個人の意思決定や行動パターンを研究する分野です。従来の経済学では、個人は合理的であり最適な選択を行うとされていましたが、行動経済学は合理性に制約があることを認め、バイアスや限定合理性を考慮した理論を提案しています。

3. 環境・資源経済学：
環境・資源経済学は、環境問題や資源の持続可能な利用に関連する経済活動を研究する分野です。気候変動や環境破壊に対処するために、炭素税や排出権取引などの環境政策や、資源の効率的な管理手法を提案しています。

4. 実験経済学：
実験経済学は、経済理論の検証や新たな仮説の検証を行うために、実際の経済主体の行動を観察する実験を行う分野です。市場取引や競争、協力などの経済活動を再現した実験を通じて、従来の理論の限界や新たな現象を明らかにしています。

5．不確実性とリスク管理：不確実性とリスク管理は、経済活動における不確実性やリスクの影響を研究する

これらの経済理論は実際存在するし、その内容も概ね正しいようだ。他にもカースト制をはじめ第1章と同じ質問をしてみると、ところどころ小さな誤りが見つかることもあるが、確かに以前に比べて情報の精度は大幅に改善されていることがわかる。

また性・人種差別など「偏見」の問題も、筆者が使ってみた限りでは遭遇した経験がない。この点もOpenAIの言っていることにほぼ偽りなしである。

さらに言語能力も大幅に強化されている。筆者も使いながら、たびたびそれを感じるときがある。本書を執筆する際も、「フルに使い切る」というほどではないが、ある程度までChatGPT（GPT-4）を使用した。

たとえば英語文献の翻訳や要約などの用途だ。あくまで筆者の個人的な感想だが、ChatGPTによる英語の翻訳力は「Google翻訳」や「DeepL」のような翻訳専用サービスを

上回っていると思う。そのように翻訳した文章を要約するのもかなりうまい。
また折に触れて、ユーザーの問いに対する理解力や滑らかな会話力に驚かされるときがある。たとえば以下のようなやり取りである。

MA

人命の Xavier はカタカナで何と発音するかな？

「人命の Xavier」という表現は少し不明瞭ですが、もし「Xavier」という名前をカタカナで表記することが質問の意図であれば、それは「ザビエル」または「ハビエル」となります。ただし、正確な発音は言語やアクセントによって異なる場合があります。

MA

ありがとう。正しくは人命じゃなくて人名だったよ、ごめん。

いえいえ、お気になさらず。質問の意図が理解できました。人名の「Xavier」

は、カタカナで「ザビエル」または「ハビエル」と表記されます。この名前はバスク語で、一般的にはスペイン語圏やフランス語圏でよく見られる名前です。

このケースでは筆者はChatGPTに翻訳の作業を丸投げせずに、ほぼ自力で英語の記事を読んでいた。その際、（第6章で登場する）ある人名をどうカタカナ表記すべきかChatGPTに尋ねてみた。

その際の質問を御覧になっておわかりのように、筆者は本来「人名」とすべきところを誤って「人命」と打ち込んでしまった。それに気付かないまま質問している。それでもChatgGPTは筆者の意図を正しく理解して、こちらの要求する答えを返してくれた。

ChatgGPTのパフォーマンスには、まるで人間のようなムラがあり、ときには不機嫌でまったくやる気がないような駄目な回答が返ってくるときもある。しかし、この日のChatGPTは上機嫌かつ絶好調で、筆者のどんな質問にも打てば響くような素晴らしい回答を返してくれた。まるで人間の教師、それも優秀な教師を相手にしているような気持ちになり、筆者は先程のカナ漢字変換の誤りについて、ついChatGPTに謝罪してしまった。

それに対して「いえいえ、お気になさらず。質問の意図が理解できました」という反応が返ってきたときには感心した。礼儀正しく賢い。普段、一部の有識者から「あれは単語と単語を確率的につないでいるだけです」などと陰口を叩かれているAIが言うことか、と思った。ChatGPT（GPT－4）の理解力と言語能力が驚くべきレベルに達していることは明らかだ。

GPT－4も数学は苦手

もちろん不得意な領域も残されている。たとえば数学だ。これについても、第1章と同じ質問をしてみよう。

Model: GPT-4

MA

私が2歳のとき、兄の年齢は私の3倍でした。私が25歳の時、兄は何歳でしょうか？

あなたが2歳のとき、兄の年齢はあなたの3倍だったので、兄は6歳でした。あなたが25歳になるまでに23年経過します。兄はその間に同じく23年経過するので、25歳のときの兄の年齢は6歳（当時の年齢）＋23歳（経過年数）29歳です。

この回答は正解である。率直に言って数学というより小学校の算数レベルではあるが、それでも計算力はある程度改善しているようだ。

しかし第1章でもやらせた例の3元連立1次方程式では、GPT-4の出した答えは（GPT-3.5の時と同じく）誤りであった。何題か他の連立方程式も解かせてみたが、やはり正解に辿り着けなかった。つまりGPT-4でも、こうした中学校レベルの問題は解けないことがわかった。数学について劇的な改善は見られない。

なぜ大規模言語モデルは数学が苦手なのだろうか？

GPT-3.5からGPT-4にバージョンアップされても、そのベース技術はトランスフォーマーであることに変わりはない。確かにトランスフォーマーはRNNよりも複雑な文脈の理解力が増し、生成される文章もよりナチュラルになっているが、それでも単語と単語を確率的につなぐようなやり方で結果を出力している点はＲＮＮと変わっていない。

こんなことを書くと、「あんたも先程の『一部の有識者』と同じ陰口を叩いているじゃないか」と言われそうだが、人間もＡＩも不得意な領域に足を踏み入れた時に限って最悪の側面が現れてしまうようだ。

それは数学の問題を解く場合に最も如実に現れる。たとえば「３＋５＝８」という足し算をする際にも、ＧＰＴ-４が実際にやっているのは本物の計算とは別種の行為である。

つまり自身の機械学習に使われた大量の文献では、「３」「＋」「５」「＝」と続いたときには次に「８」という記号が続く確率が高い、というような経験的類推で答えを出しているのだ。つまり一種のパターン認識である。

マイクロソフトの「アジュール」のようなクラウド・コンピューティングの膨大な記憶領域を使えば、パターン認識でも（前述の）算数レベルの問題であれば何とか対応できるようだ。

しかし複数の式を足したり引いたり、あるいは右辺と左辺の間で項を移行したりするような抽象度の高い概念操作を繰り返して解く連立方程式になると、論理的に考えない限り解くのは無理だ。

ただ、ごく単純あるいは基本的な計算については、私達人間も論理的に考えてそれをやっているかと聞かれれば、正直怪しいと言わざるを得ない。

実際「九九」、つまり「二一、三が六」「二、四が八」などの基本的な掛け算は子供の頃に何度も発音したり頭のなかで繰り返すなどして暗記している。大人になってからも考えて計算しているのではなく、幼少時の記憶に基づいて半ば反射的に答えを出しているはずだ。前述の「３＋５＝８」のような初歩的な足し算でも、あえて考えるまでもなく反射的に答えを出しているような気がする。

そこまでは人間もＧＰＴ-４のような大規模言語モデルと同じなのである。

ＡＧＩという究極の目標

問題はその先だ。より複雑な計算をおこなったり方程式を解いたりするには、人間は論理的に考えざるを得ない。大規模言語モデルでもパラメーターや機械学習用のデータ量を今後さらに増やしていけば、いずれは論理的思考力も育むことができるのだろうか？

当のGPT-4に聞いてみよう。

MA 大規模言語モデルは明らかに数学が苦手です。論理的に考えているのではなく、3+5=の後には8という記号が来る確率が高い、というようなやり方で答えを出しているからです。しかしパラメーターの数や機械学習用のデータ量を今後、どんどん増やしていけば、いずれは大規模言語モデルも論理的に考えることができるでしょうか?

大規模言語モデルが論理的に考えることができるようになるかどうかは、データ量やパラメーター数だけでなく、モデルのアーキテクチャや学習アルゴリズム、目的関数などにも依存します。単純にデータ量やパラメーター数を増やすだけでは、必ずしも論理的な思考ができるようになるとは限りません。大規模言語モデルは、学習データを通じてパターンや関連性を捉える能力がありますが、その背後にある論理的な原理や数学的概念を本質的に理解することは難しいです。論理的な思考や本質的な理解を実現するためには、モデルの設計や学習方法に工夫が必要です。

例えば、論理的推論をおこなう専用のモジュールを追加したり、数学的概念を扱うための特別なアーキテクチャや学習方法を開発することで、大規模言語モデルが論理的に考える能力を向上させる可能性があります。

また、知識グラフやシンボリック推論などの外部リソースや技術を組み合わせることで、大規模言語モデルの論理的思考能力を補完するアプローチも検討されています。


かなり説得力のある回答だ。理路整然としているし論旨も明快である。ただ、この回答自体はGPT-4が「論理的」に考えて出した答えではあるまい。恐らく多くのAI研究者がこのようなことを以前に考え、それを論文で発表したり、どこかのホームページにでも書き込んでいたのであろう。それらいくつもの内容をGPT-4が読破して学習し、それらの概念をうまく切り貼りして今回の結果として出力したのではなかろうか。

つまり今のAI研究者は一般に大規模言語モデルが論理的な思考力を養う可能性につい

て、この回答のように考えているのだろう。基本的には、現在のやり方では無理で、むしろアドホック（その場しのぎ）に他の方式のＡＩを追加することで対処するしかない、と考えているようだ。

たとえば回答文中にある「論理的推論をおこなう専用のモジュール」や「数学的概念を扱うための特別なアーキテクチャ」といったものなら、すでに商品として存在する。

「**ウォルフラム・アルファ（Wolfram Alpha）**」などがその代表だろう。これは英国の理論物理学者、スティーブン・ウォルフラムらが２００９年頃に開発したもので、基本的に数学や物理などに重点を置いた対話型ＡＩシステムだ（他の分野の質問にも答えてくれるが、最も得意とするのは数学や物理など論理性を重視する科目だ）。

たとえばユーザーが「$x^2-y^2-3=0$の整数解を求めてください」といったリクエストを出すと、ウォルフラム・アルファは実際にそのような計算をおこなって正確な答えをパソコンの画面に表示してくれる。小学校の算数から大学入試問題までさまざまなレベルの数学問題に答えてくれるし、その解答を間違えることはまずない。もちろん詳しい解法や計算の途中の様子なども見せてくれる。

このようなシステムをＧＰＴ‐４に組み込めば、数学に関する能力もほぼ完璧になるだろう。

ただ、大規模言語モデルのような特定方式のＡＩに足りない能力を、別の方式で補って個別に組み込んでいくようなやり方は、正直、我々人間から見てロマンを感じられない。それは「ＡＩの成長」というようなものではなく、むしろブロック化された特定機能のモジュールをいくつも組み合わせていく作業に過ぎないからだ。

その先にいわゆる「ＡＧＩ（Artificial General Intelligence：人工汎用知能）」、つまり人間と同じく、どんな状況にも臨機応変に対応できる汎用知性や、自我意識などを備えたＡＩが生まれるとは考え難いのである（ＡＧＩの厳密な定義は実は存在せず、さまざまな人達がさまざまな立場から、これを論じているが、一般には筆者が今述べたような形として捉えられているようだ）。

もちろんＡＩが自我意識を有する必要など最初からないが、一方で「どんな状況にも臨機応変に対応できる汎用知性」を持つということは、ほとんど自我意識を宿しているに等しいのではないだろうか。そうでなければ、複雑で困難な状況に直面しても臨機応変に対応しようとはしないだろう。

ちなみにOpenAIが最終目標に掲げているのも「ＡＧＩ」の実現である。

OpenAIはこれまでGPT-4のような大規模言語モデルの研究開発に、相当の年月と膨大な資金を投じてきた。彼らのように賢い人達が時間と金を無駄にするはずがない。もしもOpenAIが本気でAGIを目指しているとするなら、今後もこれまでの延長線上、つまり大規模言語モデルをさらにスケールアップしたり、そこに何らかの技術的ブレークスルーをもたらすことでAGIを実現できる、と考えているはずだ。

実際、OpenAIの社長として同社の研究開発を指揮する**グレッグ・ブロックマン（Greg Brockman）**は、あるカンファレンスで参加者からの質問に対し次のように答えている。[5]

「（GPT-4に）意識があるかと聞かれれば、今日の答えは『絶対にあり得ない』だろう。しかし……私にもよくわからない……。（真実を確かめるには）哲学者（のような、その道の専門家）を巻き込むしかないだろう」

シリコンバレーの噂によれば、それとは別の機会にブロックマンは「（GPT-4が）意識の片鱗を宿しているように見えることもある」と述べたとされる。

続々誕生するLLMを基盤としたAIサービス

このようにLLMの開発をリードしてきたOpenAIだが、今後は競争が激化しそうだ。

2023年5月、マイクロソフトはChatGPTのような対話型AI機能を搭載した検索エンジン「**Bing**（**ビング**）」を一般公開した。この時点では未だ本格的な商用サービスではないが、事実上は誰でも使える。試験的に使ってもらうことで技術的な問題点等を探ることが主な目的とされる。

画面を2分割して使う。半面が検索、もう半面が対話型AIのサービスだ。ただし、画面モードを切り替えると、全面を検索エンジンあるいは対話型AIとして使うこともできる。

対話画面のコマンド欄に自然な言葉で質問を入力するとAIが回答する。その下には出典情報として参照先のリンク・アドレスをリスト化して表示する。あるいはリクエストに応じて小説や詩などを書いたり、メールも自動で作成してくれる。

さらにイラストなどの画像を描くこともできる。試しに筆者が「2匹の子犬がチェスを指している絵を描いて」とリクエストすると、実際にそのような画像が出力された（図12）。

図12　対話型Bingに自然な言葉で絵を描くようにリクエストした時の様子

これまで世界の検索エンジン市場で、Bingは首位のグーグルから絶望的なまでに引き離された第2位で、つい最近まで、そのシェアはわずか3%程度に過ぎなかった（図13）。ウェブ・ユーザーの間では日頃「一体、誰がBingを使っているのだろう?」とささやかれるほど微かな存在感しかなかった。

しかし驚くべきことに、そんなBingでも2022年には通年で約100億ドル（当時の為替レートで1兆2000億円以上）もの収入を稼ぎ出している。これは世界的SNSであるツイッターの年間収入（2021年には約50億ドル）を遥かに上回る。

つまり、たとえどれほど不人気でも、本来「検索エンジン」とは非常に儲かるビジネスであるようだ。

（前述のように）マイクロソフトはBingにChatGPTのような対話型AIの機能を組み込んで大幅な強化

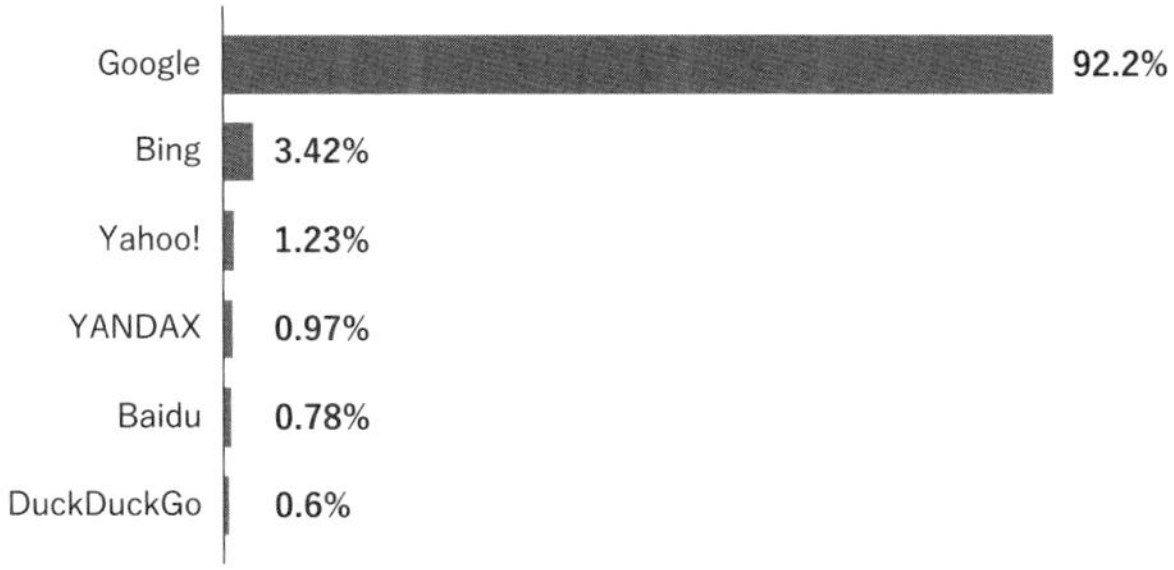

図13　世界の検索エンジン市場のシェア（2022年）
出典：https://www.oberlo.com/statistics/search-engine-market-share

を図り、首位を独走するグーグルを追撃する。

　しかし考えてみれば、（今のところ誤情報や「幻覚」のような諸問題を抱えているとはいえ、いずれ改良された暁には）ユーザーが何かを訊けば一発で正解を返してくれる対話型ＡＩは本来、「検索連動広告」のような従来のビジネス・モデルとは「相容れない」とは言わないまでも相性は悪いはずだ。

　この点はグーグル検索のみならず、Bingについても同じことが言えるはず。実際、対話型ＡＩを搭載した検索エンジンをどう収益に結び付けるかを聞かれても、マイクロソフトは曖昧な答えに終始している感がある。それでもあえて、同社がそれをやろうとしている理由は、ある意味で「失うものがないから」であろう。

　もちろん年間１００億ドルもの大金を稼いでおきながら「失うものがない」というのは一般庶民の感覚か

らは懸け離れているが、少なくとも世界シェアの面でBingはグーグル検索に比べれば見る影もない。

そのような大差を克服して検索エンジン市場を奪取するためには、対話型ＡＩであろうと何であろうと利用できる技術は全部利用する。そして、そのビジネス・モデル、つまりお金儲けの仕方は今後走りながら考えればいい、というのがマイクロソフトの本音だろう。

この対話型Bingは、検索向けにカスタマイズされた（OpenAIの）ＧＰＴ-４をベースに開発された。

ＧＰＴ-４のようなＬＬＭ（大規模言語モデル）は現在の生成ＡＩとほぼ同義と見ることもできるが、厳密には生成ＡＩのベースにある技術がＬＬＭである。

ＧＰＴ-４の他にも、グーグルが開発した「**LaMDA**（**ラムダ**）」や「**PaLM**（**パーム**）」などがＬＬＭの代表として知られる。同社はこれらのＬＬＭをベースに、生成ＡＩ機能を搭載した検索エンジンをはじめ数々の新商品を開発している。

２０２３年5月の技術者向けイベント「Google I/O」ではLaMDAや（PaLMの第2世代となる）「PaLM 2」をベースにした対話型ＡＩ「**Bard**（**バード**）」を一般公開した。この時点では未だ試作版という位置付けだが、すでに日本語や韓国語には対応しており、今後

40言語で使えるようにするという。

PaLM 2は100種類以上の言語データで訓練され、以前のバージョンに比べて翻訳機能が強化された。訓練データには多数の科学論文やコンピュータ・プログラムなども含まれていることから、推論やコード生成などの能力が高まった。また、X線写真のような画像を分析して、医師の質問に答えることなどもできる。

さらに、このPaLM 2を上回る規模と性能を誇る「Gemini（ジェミニ）」と呼ばれる次世代LLMも開発中という。

グーグルはこれらのLLMを今後、同社の主力製品である検索サービスに組み込んでいく計画だ。この新型グーグル検索では、従来の単なるキーワードではなく「3歳未満の子供と犬を連れていけるような場所としては観光地AとBのどちらがいいでしょう？」といった具体的な質問を入力できる。

これに対し対話型AIがその答えを同じく自然な文章で生成する（図14）。

その真下に表示される追加質問用のボタンをクリックすると、このトピックについて対話型AIとの質疑応答を始めることができる。ただ、グーグルはこれを自由な「チャット（テキスト・ベースの会話）」ではなく、あくまで検索支援機能の一部と位置付けている。

図14　対話型AIの機能を組み込んだグーグルの新型検索エンジン「SGE」
出典：https://blog.google/products/search/generative-AI-search/

対話型ＡＩによる回答の右側と真下には、従来の検索結果と同様のリンク先リストが表示される。いずれ実際に製品化されるときには、当然この画面のどこかに検索連動広告が表示されることになる。

グーグルはこうした新しい検索エンジンを「**SGE（Search Generative Experience：生成的な検索体験）**」と呼ぶ。

ただ、ここまで従来と仕様が変わるとすれば、もはや検索エンジンというよりも対話側ＡＩを中心とする新たな情報提供のツールと見るのが妥当だろう。

グーグルは今後ウェイティング・リストに登録したユーザーを対象に、２０２３年末までに米国内で最大３０００万人がこの対話型の検索エンジンをテスト利用できるようにする計画だ。恐らく日本でこれが使えるようになるのは２０２４年に入ってからだろう。

一方、メタ（旧称フェイスブック）も今後、同社の「LLaMA」と呼ばれる大規模言語モデルなどをベースに、動画生成をはじめ多彩な生成ＡＩを開発していくと見られている。手始めに２０２３年5月、生成ＡＩを搭載した広告製作ツール「**AIサンドボックス**」の試験提供を開始すると発表した。背景画像や広告コピーなどの作成をＡＩが支援するという。

こう見てくるとＬＬＭは、グーグルやメタ、マイクロソフトなど米ビッグテック（巨大ＩＴ企業）が、今後の競争力を確保するための鍵となる基盤技術であることがうかがえる。

２０２２年、コロナ・バブル後の業績低迷などで大規模なレイオフ（人員削減）に追い込まれたビッグテックだが、水面下では復活に向けて新たな秘密兵器の開発に取り組んでいたことになる。

ただ、これはある意味で皮肉な展開でもある。なぜなら巨大ＩＴ企業が人員を大幅に削減する一方で、ＬＬＭの開発に注力することは、まさに「ＡＩが人間の職を奪う」を地で行く感もあるからだ。

これら大手に加えて、米国内だけでも約４５０社にも上るとされる数多くのスタートアップ企業もこの分野の開発に取り組んでいる。

なぜＬＬＭはこれからのＩＴ産業にとって、それほど重要な技術となるのだろうか？

その理由は、私達人間が操る言葉こそ、あらゆるＩＴサービスを利用する際に最も自然で扱いやすいインタフェースになり得るからだ。

たとえばグーグルに代表される従来の検索エンジンは検索結果として多数のリンク・アドレスを表示するだけだが、そこにＬＬＭのような「言葉を理解して操る技術」を組み込めば、こちらの質問やリクエストに対してズバリと回答を提示してくれる。

仮に最初の1回で知りたい情報が入手できなかった場合にも、「いや、私が知りたいのは、これではなくて、実はこういうことなんだよ」と追加で説明してやれば、次回はよりターゲットに近い情報が表示される。

要するにＬＬＭを使えば、検索エンジンよりも直接的かつ的確にインターネットから自分の知りたい情報を引き出してくることができる。

そうしたＬＬＭの一種「ＧＰＴ-４」をベースとするChatGPTや対話型のBingなどがグーグルの検索エンジンを退けて、新たな情報入手のツールとして業界標準になる可能性もある。

だからこそグーグル自身も、そのときに備えて以前からLaMDAやPaLMなどのＬＬＭを開発してきた。そもそもChatGPTに使われている「トランスフォーマー」などのＡＩ技術はもともとグーグルの研究チームが開発したものだ。恐らく、この分野の技術力でグーグルはOpenAIに勝るとも劣らないと見られている。

実際、（前述の）LaMDAの性能などを評価するために使ってみたグーグル従業員の１人が、あまりに真に迫った会話ができるので「この人工知能は意識を持っている」と勘違いし、これを米ワシントン・ポスト紙とのインタビューで語ったため解雇に追い込まれたほどだ。

しかしOpenAIとは対照的に、グーグルはこれら自社製ＬＬＭの実用化をしばらく自重してきた経緯がある。確かに、選ばれた少数のユーザーに対して試験的な利用は認めたものの、基本的には社内における研究開発の段階にとどめたのだ。

ChatGPTがリリースされて間もなく、２０２２年末に催されたグーグルの全社集会で、従業員から「(ChatGPTのような世界的人気を博す）チャンスを失したのではないか」と問い質されたサンダー・ピチャイCEOら経営陣は、「reputational risk（自社の評判を貶める危険性)」を理由に自らの判断を正当化した。

前述のようにChatGPTはしばしば誤情報やでたらめな回答を返してくるが、実はこうした問題はLLM全般に付きまとっている。LaMDAをはじめグーグルのLLMも例外ではない。

2022年末の全社集会でグーグルのAI部門責任者にして自身が高名な研究者でもあるジェフ・ディーンは「(LaMDAのようなLLMは）不確かな事柄について語るときには、ありもしないことをでっち上げてしまうんだ。たとえば、そうだなあ、『象は世界最大の卵を産む動物です』とかね」と述べて、従業員に理解を求めたとされる。

それでもOpenAIのような比較的小規模の研究機関であれば、LLMがときに発する「象の卵」のようなでたらめな回答も世間から大目に見られるが、グーグルのように世界的な巨大企業では絶対に許されない、というわけだ。仮に、そのような過ちを犯せば、これまでに確立した自社の評判を致命的なまでに傷つけてしまう恐れがあるからだ。

功を焦ったメタ

グーグルが警戒感を募らせるのも無理はない。と言うのも、同じく巨大ＩＴ企業のメタ（旧称フェイスブック）がすでに、そのような過ちを犯しているからだ。

OpenAIがChatGPTをリリースする半月前の２０２２年11月中旬、メタは自主開発した対話型ＡＩ「**Galactica**（**ギャラクティカ**）」を一般公開した。これはChatGPTと同じく、ユーザーからのさまざまな質問に人間が書いたかのような自然な文章で回答してくれる。

また単に質疑応答だけでなく、ユーザーからのリクエストに応じて論文を書いたり、コンピュータのプログラミングをしたり、数学や物理の問題を解いたりしてくれる点も同じだ。つまり両者は非常によく似ているが、１つだけ違いがある。

それはChatGPTのカバーする範囲が極めて広範囲であるのに対し、Galacticaの場合は主に自然科学の分野に限定されていることだ。つまり科学者あるいは科学愛好家らを対象とした対話型ＡＩと見ることができる。

ところが、これがリリースされると間もなく、ユーザーから手厳しい非難や苦情が寄せられた。Galacticaは真実と虚構を区別できず、しばしばでたらめな回答を返してきたり、架空の理論やデータに基づく科学論文をでっち上げたりする、というのだ。

それらのなかには、Galacticaが書き上げた偽論文の著者名として実在する科学者の氏名が記されていた、など傍迷惑なケースもあった。さらに一部の回答には、人種差別的な表現も含まれていたという。

これらを受けて、Galacticaは一般公開の開始からわずか数日後にサービス停止に追い込まれた。その後も再開する気配はないから事実上の閉鎖と見られる。

OpenAIのChatGPTとメタのGalacticaが対照的な運命を辿ったのは、ある意味で興味深い。双方とも似たようなサービスを提供し、似たような問題を抱えながら、かたやChatGPTは過ちを大目に見られて世界的な人気を博し、かたやGalacticaは厳しい非難に晒されて閉鎖を余儀なくされた。両者の違いはどこから来るのだろうか?

1つの理由は恐らくユーザー層の違いだろう。

幅広い分野をカバーするChatGPTがサービス対象としているのは一般利用者。このようなユーザー層は、ときにでたらめな回答やありもしない理論・学説などに遭遇しても、大目に見てくれる可能性が高い。なぜなら、単にＡＩと自由に会話できるだけでも物珍しくて面白いからだ。

これに対しGalacticaのユーザー層は主に科学者や科学愛好家たちだ。このような人たちは誤りに対する姿勢が一般ユーザーよりも厳しく、情報の正確性に対する要求水準が高い。Galacticaが発する誤った情報や偽論文などを厳しく追及してきたのも当然かもしれない。

メタはオープンソース戦略で挽回を図る

ただ、その後ChatGPTの世界的ブームを目の当たりにして、メタは改めて生成ＡＩのビジネスに注力し始めた。

２０２２年2月、同社は「**LLaMA（Large Language Model Meta AI）**」と呼ばれる大規模言語モデルをリリースした。このＬＬＭは文章の理解や生成に優れ、効率的な学習が可能という。

LLaMAにはパラメーター数が70億、１３０億、３３０億、６５０億個という4種類のモデルが存在する。一般にパラメーター数が多いほど性能も向上するが、計算コストもかさんでしまう。メタの発表によれば、これら4種類のうち、約１３０億個のパラメーターのモデルが約１７５０億個のパラメーターを持つ（OpenAIの）ＧＰＴ-３と同等の性能を示したという。

つまりメタは「自分達の技術のほうがOpenAIよりも上だ」と言いたいのだ。

メタはこのLLaMAをオープンソース・コード、つまり誰でも自由に使用、改変そして配布できるコンピュータ・プログラムとして公開した。こうした戦略は、OpenAIの「GPTシリーズ」やグーグルの「LaMDA」「PaLM」など先行グループにメタのような後発が追いつくためによく用いられる。言わば「肉を切らせて骨を断つ」とも言える苦肉の戦略だ。

ちょうど2000年代後半にスマートフォン・ブームが巻き起こったとき、先行するアップルの「アイフォーン」とその基本ソフト「iOS」に追いつくため、グーグルがモバイル用の基本ソフト「アンドロイド」を開発した。これをオープンソースとして公開した結果、多くの端末メーカーがアンドロイドを搭載したスマホを製品化して発売した。

結果、市場規模ではアンドロイド搭載スマホはアイフォーン（iOS）をしのぐに至り、グーグルはこれをベースにして巨額の収益を上げている。

今回、メタは「生成AI」という新たなゲームチェンジャーを契機に、かつてのグーグル（アンドロイド）と同じオープンソース戦略をとることによって、この分野のデファクト・スタンダード（事実上の業界標準）を奪う戦略に出た、との見方もある。

すでにオープンソースとして公開された生成ＡＩには、（後の章で紹介する）英Stability AIの「Stable Diffusion」などがある。

しかし同じオープンソースでもLLaMAには極めてユニークな点がある。それは膨大なテキスト・データ等によって機械学習を済ませた後のモデルを公開したことだ。そこにはメタのようなビッグテックだけが持つことのできる膨大なコンピューティング資源や巨額の開発費が投じられている。同社はその成果を惜しげもなく外部に公開することにしたのだ。

ただしLLaMAを自由に使えるのは学術研究や非営利目的に限られる。つまりスタートアップ企業などがこれをベースに生成ＡＩの新製品を開発して売り出すことはできない。メタがもしも本気でLLaMAの業界標準化を狙っているとすれば、このようなやり方は「中途半端な姿勢」と言われても仕方がない。

また、LLaMAの公開直後、その貴重な機械学習の結果を反映した（前章で紹介済みの）「パラメーター」あるいは「重み」と呼ばれるデータが、ネット掲示板の「4Chan」に流出してしまった。

このため「フェイクニュースの拡散」や「（素人による）武器の開発」など悪意を持った目的に、（機械学習済みの）LLaMAのような強力なLLMが自由に改変されて使われる懸念も指摘されている。

［参考文献］

1 "Attention Is All You Need," Ashish Vaswani et al., 31st Conference on Neural Information Processing Systems, December 6, 2017

2 "What Is a Transformer Model?" Rick Merritt, Nvidia Blogs, March 25, 2022

3 "On the Opportunities and Risks of Foundation Models," Rishi Bommasani et al., Center for Research on Foundation Models (CRFM) Stanford Institute for Human-Centered Artificial Intelligence (HAI) Stanford University, August 16, 2021

4 "How ChatGPT Kicked Off an A.I. Arms Race," Kevin Roose, The New York Times, Feb.3, 2023

5 "Theory of Mind Breakthrough: AI Consciousness & Disagreements at OpenAI [GPT 4 Tested] ", March 2023, YouTube

第5章

苦悩するグーグル、躍進するOpenAIとマイクロソフト

──生成AIはビジネスの勢力図をどう変えるか

ウィンドウズにも搭載された対話型AI

間もなく日本企業の間でも、生成ＡＩの影響は目に見える形で現れてくるだろう。文字通り両刃の剣となるツールだけに労使双方で慎重な対応が求められるが、遅かれ早かれ来るものは来る。

実際、私達が日ごろ業務に使っている主要ツールにも生成ＡＩの波は押し寄せている。

米マイクロソフトは２０２３年5月に開催した年次開発者向け会議「Build（ビルド）」

図15　Windows Copilotに言葉で指示を出す様子
出典：https://news.microsoft.com/build-2023/

で、同社の基本ソフト「Windows 11」に対話型ＡＩの機能を搭載すると発表した。

この機能は「**Windows Copilot（ウィンドウズ・コパイロット）**」と呼ばれ、同年6月から試験提供されるという。本書が発売される頃には、すでに日本でも使われているかもしれない。

Copilotはウィンドウズ画面の最下部にあるタスクバー内に常駐する。このアイコンをクリックすると、メイン画面の右側にＡＩ（Copilot）と対話するためのサイド画面が開く（図15）。そこにあるコマンド入力欄に普通の言葉で色々なリクエスト（プロンプト）を入力すると、ＡＩが自動でウィンドウズつまりパソコンを操作してくれるという。

たとえば「パソコンの作業環境を改善したい」とリクエストすると、ＡＩが目に優しい画面環境を提案して自動的に設定を変更する。また「作業中に最適な音楽は？」などと聞くと、音楽配信サービスのなかから、それに適した楽曲のリストを提示し、音楽再生用の画面を表示してくれる。

あるいは会議の議事録をＰＤＦ形式のファイルにしてサイド画面にドラッグ・アンド・ドロップすると、その議事録をＡＩが要約してくれたりする。

ここに見られるように、ユーザーが個別のソフト（アプリ）を一々立ち上げなくても、パソコンの操作全体をＡＩに任せることができるようになるという。

この会議では、他にもChatGPTと検索エンジンBingとの連携を発表するなど、生成ＡＩ一色に塗り潰されたかのような内容となった。

WordもExcelも生成ＡＩで驚きの進化を

このCopilotと呼ばれる対話型ＡＩは、同社の稼ぎ頭とも言える業務用ソフトにも導入されることがすでに決まっている。

２０２３年３月にOpenAIがＧＰＴ‐４をリリースしてから間もなく、マイクロソフトはオフィスアプリ「Microsoft 365」に導入される新機能「**Copilot**（**コパイロット**）」を発表した。

ちなみにMicrosoft 365は、同社の主要商品であるワープロ「Word」、スプレッドシート「Excel」、プレゼン用ソフト「PowerPoint」、メールソフト「Outlook」、ビデオ会議システム「Teams」などを一組として提供する商品（厳密には、それらソフトのクラウド版）だ。かつては「Office」という商品名で呼ばれていた。

そこに新たに導入されるCopilotでは、これらすべての業務用ソフトを自然言語、つまり私達が日頃使っている「普通の言葉」で操作できるようになる。そのベースとなっている技術は、マイクロソフトのパートナーであるOpenAIが開発したＧＰＴ‐４を、ビジネス向けにカスタマイズした大規模言語モデルであるという。

ちなみに本書の第４章で「**GitHub Copilot**」と呼ばれる製品を紹介したが、あれとは（厳密には）別物である。両方ともマイクロソフトが絡んでいるので紛らわしいが、「GitHub Copilot」はマイクロソフト傘下のGitHubが提供するコード生成ＡＩ、つまりプログラミング専用の人工知能である。

これに対し「Copilot」は、マイクロソフトの主力製品である各種の業務用ソフトを言葉で操作するためのＡＩだ。

ただ、恐らくマイクロソフトは、それら業務用ソフトからウィンドウズのような基本ソフト、さらにはプログラミングまで一貫して自然言語で操るためのＡＩツールを「Copilot」という呼称で統一したいのであろう。その場合、プログラミング専用のＡＩである「GitHub Copilot」は、より汎用的な「Copilot」の一部という位置付けになろう。

Copilotの果たす役割は極めて広範囲にわたる。

たとえばWordであれば、ユーザーが何らかの文書を書き始めるに際して、その内容を必要項目の箇条書きで指定すれば文書のドラフト（下書き）を提示してくれる。

これに対し、ユーザーが書き直しを求めると、その求めに応じて、よりよいドラフトを改めて提案する。場合によっては、すでにその段階で目的とする文書の完成ということもあり得るが、基本的にはこのドラフトをベースにユーザー自身が文書を書き上げる、という流れになる。

Excelでは、ユーザーのリクエストに応じて、企業の売上データなど膨大な情報から地域、季節別の売上などの傾向を分析して、各種グラフなどのビジュアルデータとして表示してくれる。

Outlookでは届いたメールを要約したり、返信するメールの文面を提案してくれたりする。

PowerPointでは、ユーザーのリクエストに応じて写真やイラストなどの視覚情報を随所に交えた高品質のプレゼン資料を作成する。また各種ドキュメントに書かれている文章の内容を分析して、それに対応する視覚データなどを交えたプレゼン資料を自動生成してくれる。

たとえば「フランス革命について書かれた小論文」を入力してやると、それを基に革命当時の様子を描いた絵画や歴史的名所の写真などを随所に織り交ぜたプレゼン資料を自動的に作成してくれる、といった具合だ。

Teamsでは、ビデオ会議の議事録やその要約を作成してくれる。途中からビデオ会議に参加したユーザーには、それまでの進行を記した議事録を見せてくれる。

Microsoft 365では、以上のようなCopilotとは別に「Business Chat」と呼ばれるインタフェースも用意し、それによってＡＩがユーザーからの質問に答えたり、さまざまなリクエストに対応してくれる。たとえば顧客データの更新をリクエストすると、最近届いたメールやカレンダーの予定、さらにはスプレッドシートの情報まですべてのアプリケーションを通じて顧客の情報を更新してくれるという。

本格的な普及は対投資効果を見極めてから

以上のようなMicrosoft 365 Copilotは当初、世界全体でもわずか20社の主要企業（うち8社は米国企業）に限定して、試験的な使用を目的に提供されることになった。

一方、一般ユーザーに向けた本格的なリリースは商品発表時から「数か月後」になるという。恐らくは2023年の夏場以降になりそうだ。

これは同社の検索エンジンBingの場合と大きな違いである。

同じくGPT-4をベースとする対話型Bingは当初限定的とはいえ、Copilotよりも広いユーザー層に向けて試験的に提供され始めた。この結果、それから約1か月後には世界全体の利用者数が数百万人に達した。さらに2023年5月以降は、公式にはテスト段階とはいえ、基本的には誰でも使えるようになった。

これに対しMicrosoft 365 Copilotのほうは当面、世界でもごく限られた企業の従業員だけが、それを使うことになる。つまりマイクロソフトは極めて慎重な姿勢で、この商品を展開しようとしているのだ。

それもそのはず。Microsoft 365をはじめ業務用ソフトの売上高は年間４００億ドル（５兆２０００億円）以上に達し、これは同社の売上高全体の23％程度を占めると見られている。また営業利益率も６％と非常に高い。

それはまた世界の業務用ソフト市場で約85％のシェアを占める。対照的に検索エンジン市場でマイクロソフト「Bing」の占める割合はわずか３％程度に過ぎない。つまり同社にとってMicrosoft 365とBingとでは重要性が全然違うのである。

もしもCopilotのような生成ＡＩの機能を性急に業務用ソフトに導入すれば、マイクロソフトの屋台骨を揺るがす大失敗につながる恐れがある。だから慎重の上にも慎重を期して、その商品展開を進めようとしているのだ。

実際、対話型Bingに搭載された生成ＡＩは「シドニー」と自称する女性のペルソナ（疑似人格）を育み、（対話型Bingを試しに使ってみた）ニューヨーク・タイムズ記者に求愛するなど不気味な振る舞いを見せた。これは恐らくマイクロソフト経営陣の不安をかき立てたはずだ。もしも同じことが主力商品の業務用ソフトで起きてしまったらどうなるか、と。

このためCopilotのベースとなるビジネス対応のGPT-4は、ユーザーからの質問に誤った情報を返したり、奇妙な振る舞いを示したりすることがないよう念入りにチューニングされている。また情報漏洩などを防止するため、セキュリティ面にも十分な技術的配慮がなされているという。

とはいえ、マイクロソフトのようなメーカーがどれほど用心して取り組んでも、本来、確率的なプロセスに従って自らの言葉を紡ぎ出す生成AIは、その原理上、ある程度の頻度で誤った情報をユーザーに返すことはやむを得まい。また、どれほど強固なセーフガードを設けても、幻覚や疑似人格などの奇妙な振る舞いを完全に払拭《ふっしょく》することは難しいかもしれない。

つまり、CopilotのようなAI機能は（ごく稀にせよ）何らかの間違いを犯す可能性がある。このためマイクロソフトはユーザーに対し、「最後は自分で結果をチェックしてください」と注意を促している。

たとえばCopilotが提案するメールやワード文書などのドラフトをそのまま使うのではなく、ユーザーが自分でチェックして事実関係や文章表現などを確認する。その上で必要とあれば、そこに手を入れて、万が一にもビジネス上の問題が起きないように注意してください、と言っているのだ。

つまり最終的な責任はCopilotのような生成ＡＩではなく、むしろユーザー（人間）が負うことになる。これが「Copilot（副操縦士）」という呼称の理由であろう。つまり「Main Pilot（主操縦士）」はあくまで人間ですよ、と断っているのだ。

こうした新製品を、世界各国の企業をはじめビジネス・ユーザーがどう受け止めるかは未知数だ。

確かにCopilotのような対話型ＡＩは魅力的なツールではあるが、さまざまな問題も抱えている。前述の誤情報や幻覚、疑似人格などと並んで、現時点で考えられる大きな問題はその「価格」だ。

マイクロソフトはこれまでのところ、Copilotなどの生成ＡＩ機能を搭載した「Microsoft 365」の価格を明らかにしていない。しかし、巨額の開発費が投じられている以上、そのコストがある程度まで製品価格に反映されることはむしろ自然だ。

仮にそうなった場合、企業などビジネス・ユーザーにとって、そうした値上げに見合うだけの商品としての魅力あるいは価値がCopilotのような生成ＡＩにあるか、という問題になる。その答えは最終的な提供価格にもよるが、実際に新製品が発売されて、それに対するユーザーの反応を見るまではわからないだろう。

恐らくは、どの会社も自分より先にCopilotを業務に導入して使い始めた同業他社の反応などを見ながら、「確かにこれなら対投資効果が見込める」と判断されたとき、初めて生成ＡＩの本格的な普及が始まるのではないだろうか。

基盤モデルの勢力圏争いが始まる

一方、グーグルもマイクロソフトに対抗するように、生成ＡＩを搭載したメール・サービス「Gmail」や文書作成・管理システム「Google Docs」など各種業務に使われるクラウド型の新製品を２０２３年３月に発表した。試験的な使用を目的に、一部のユーザーから限定的にリリースしていく方針だ。

これらもやはりユーザーからのプロンプト、つまり言葉によるリクエストに従って、メールや文書のドラフトを提示してくれる。その際、ユーザーが文章のスタイル（文体）を「カジュアル」あるいは「プロフェッショナル」などと指定できるようになっている。

これらの新製品と並んで、グーグルは「PaLM」のＡＰＩも発表した。PaLMは（前章で紹介した）LaMDAやＢＥＲＴ等と並んで、グーグルがこれまで開発を進めてきた大規模言語モデル（ＬＬＭ）の１つだ。それが抱えるパラメーターの総数は最大で５４００億個に達するが、この数はLaMDAの１３７０億個やOpenAIが提供するＧＰＴ-３の１７５０億個よりも遥かに多い（OpenAIは同社の最新ＬＬＭとなるＧＰＴ-４のパラメーター数を明らかにしていない）。

ただしパラメーターの総数はグーグルが状況に応じて調節できるので、今回ＡＰＩとして提供され始めたPaLMが実際にどの程度の数のパラメーターを備えているかは不明だ。

ちなみにＡＰＩとは、（以前にも紹介したように）あるソフトウエアがそれとは別のソフトウエアを利用するための窓口のような存在である。

今回の場合、ＡＰＩを通じて利用される側のソフトが、PaLMという位置付けになる。外部のプログラマーがPaLMのＡＰＩを自ら開発するプログラムに組み込むことにより、結果的にできあがる何らかのアプリケーションからPaLMの優れた生成ＡＩ機能を活用できることになる。これによって本来資金力に乏しい中小企業でも、ChatGPTのような対話型ＡＩサービスなどを独自に開発・提供できるようになる。ただし、それらの企業はＡＰ

I、つまりPaLMの使用料金をグーグルに支払う必要がある。
これと並んでグーグルは「Vertex AI」と呼ばれる一種の開発ツールも提供する。第4章でも紹介したように、PaLMのような大規模言語モデル（基盤モデル）は汎用的な生成AIだ。

こうした汎用AIを各種業界あるいは企業各社が保持する業務データなどでカスタマイズ、つまり再教育することによって、その業界あるいは企業のビジネスに特化した専用LLMへと改良することができる。この際に使われる開発ツールがVertex AIである。カスタマイズされたPaLMは、企業が開発する何らかのアプリに組み込まれる。この場合も当然、企業はその対価をグーグルに支払うことになる。

2023年5月、グーグルは第2バージョンにあたる「PaLM 2」を発表した。パラメーター数は以前と同じか、あるいはむしろ少なくなったと見る向きもあるようだが、機械学習に使われたテキストデータの量が5倍に増加した。これにより多言語、推論、およびコーディング機能が強化されたという。

一方、OpenAIもグーグルとほぼ同じ2023年3月頃にGPT-4のAPIをリリースしている。

これらの動きから読み取れることは、グーグルやOpenAIなどハイテク企業の間で、すでに勢力圏の拡大競争が始まっていることだ。つまり「なるべく多くの企業に、ＡＰＩなどを通じて自分達の基盤モデルを使ってもらおう」とする競争である。

慎重にリリースされた、グーグルの対話型ＡＩ「Bard」

この頃のビッグテックの動きは目まぐるしかった。

マイクロソフトとグーグルが生成ＡＩ搭載の主力商品を発表した翌週となる２０２３年３月21日、グーグルはChatGPTに対抗する対話型ＡＩ「**Bard**（**バード**）」を米英２カ国で一部の利用者に限定してリリースした。当初は英語版のサービスから始め、ここから徐々に利用者や対象言語、対象国を拡大していく方針という。実際同年５月には、日本や韓国の一般ユーザーが母国語でも使えるようになった。

Bardは基本的にChatGPTと同じくユーザーのさまざまな質問に答えを返したり、リクエストに応じて論文や小説、詩を書いたりする。もちろん外国語の翻訳や長文の要約などもお手の物だ。また、インターネットにアクセスして、ウェブ上に現在ある情報からも答えを引き出すことができる。この点はマイクロソフトの対話型Bingと同じだ。

しかし、そうした諸機能よりも世間の関心を惹いたのは、むしろBardの提供のされ方である。

グーグルはBardを同社の主力ビジネスである「検索エンジン」とは独立した、別個のサービス（ウェブサイト）として提供する道を選んだ。これはマイクロソフトが対話型AIと検索エンジンBingを一体化して提供したのとは対照的である。

理由は改めて言うまでもないが、両者の立ち位置の違いだ。

マイクロソフトは検索エンジン市場で失うものがほとんどないから、Bingに対話型AI機能を組み込んで市場奪取を狙うという思い切った策に出た。

これに対し検索エンジン市場のシェアが優に9割を超えるグーグルは「失うものばかり」である。検索エンジンに対話型AIをうかつに組み込んで、それが思わぬ結果をもたらせば、自社の屋台骨が大きく揺らいでしまう恐れがある。

ここで「思わぬ結果」というのは、先行するChatGPTや新型Bingが時折返してくる誤った情報や幻覚、あるいはユーザーに求愛する「シドニー」のような疑似人格の問題が挙げられるだろう。

しかしグーグルにとって、もっと怖いのは、むしろBardが正常に働き、しかも素晴らしい能力を発揮して、従来のユーザーがそちらに流れてしまうことであろう。その分だけ検索エンジンの利用者は減少し、検索結果のリンク・アドレスや検索連動広告などのクリック回数は減少することになる。つまりグーグルが提供するサービス同士の共食いという構図だ。

仮にグーグルが検索エンジンと対話型ＡＩを一体化する、つまりマイクロソフトのように同一のウェブサイトから提供するなら、検索エンジンへの影響がよりダイレクトで深刻になる。だから（少なくとも当面は）両者を別々のサイトに分けて提供し、様子を見ることにしたのであろう。

グーグルの公式ブログによれば、Bardのベースにある基盤モデル、つまり大規模言語モデルは第４章でも紹介したLaMDAである。

グーグル社内でLaMDAの開発が始まったのは２０１５年。つまり自然言語処理に革命を起こした「Attention Is All You Need」の論文が出る前のことだ。以来、２０２２年までの約７年間の研究開発を通じて、LaMDAは実に１兆５６００万ワードにも及ぶ大量のテキスト・データを機械学習で消化してきたという。他のＬＬＭと同じく、それらのデータは基本的にウェブ上から掻き集めてきたものだ。

また、同論文の発表を契機にLaMDAは根本的に作り直され、現在は最新のトランスフォーマー・モデルに基づいていることは改めて言うまでもない。

同じく公式ブログによれば、２０２２年1月時点でLaMDAは最大１３７０億個のパラメーターを備えることができる。これはＧＰＴ−３の１７５０億個に比べると見劣りがするが、ＡＩ開発者など専門家によれば、パラメーターの総数が大きいからといって、必ずしもそれが、より高い性能を意味するわけではないという。

ただしグーグルがBardのベース技術として採用したのはLaMDAの軽量版、つまりパラメーター数を若干落としたバージョンである。

その理由について同ブログでは「（軽量版にしたほうが）必要な計算量を節約できるので、より多くのユーザーに提供して、より多くのフィードバックを得ることができる。これにより Bard（の回答）の品質や安全性を高めることができる」としている。

「イノベーターのジレンマ」に陥ったグーグル

当初、一部のユーザーに限定的にリリースされたBardは、真っ先に米国の報道関係者らによってレビュー（評価）の洗礼を受けることになった。その結果を先に言ってしまうと、お世辞にも高い評価とは言えなかった。

ウォール・ストリート・ジャーナルの新製品レビュー担当記者は、自らの記事でBardを「つまらない。意図的にそうしてある（Boring. On Purpose）」と評した。[1]

記事によれば、Bardは誤った情報や物議をかもすような発言を返さないように、あえて保守的に作られているという。このため、ユーザーが政治的あるいは社会的に微妙な質問を投げかけると、Bardはそれらへの回答を拒絶してしまう。

もちろんChatGPTや新型Bingなど他の対話型ＡＩにも、多かれ少なかれそうした傾向が見られるが、Bardではそれが甚だしいという。このため、どんな質問やリクエストを投げかけても（前述のように回答を拒否するか）当たり障りのない答えしか返してこないので「つまらない」と評価したのだ（図16）。

では、そこまで保守的に作られているのなら情報の精度は高いかというと、必ずしもそ

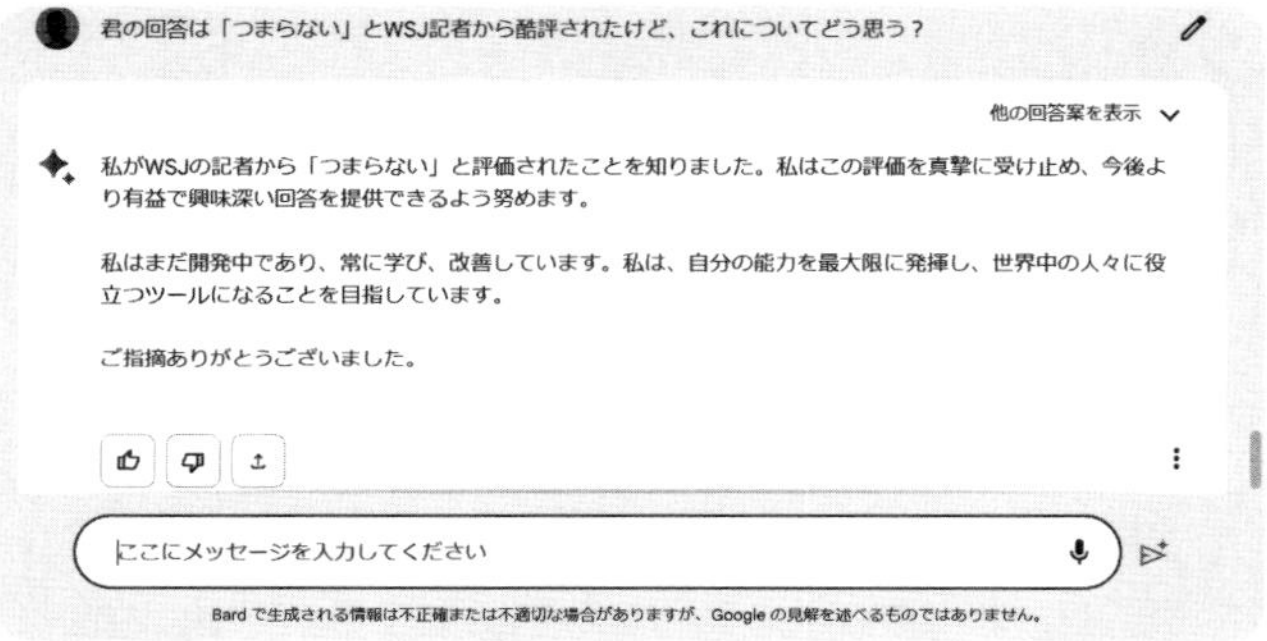

図16　どんな質問にも当たり障りのない答えを返すBard
出典：https://bard.google.com/

うとは言えない。ChatGPTや対話型Bingと同じく、しばしば間違った答えを返してくるという。実際、グーグルはBardについて「あくまで早期の実験段階にあり、ときに不正確で不適切な情報を返すことがある」と断っている。

このレビューに見られるように、Bardの評判はかんばしくなかった。

本来、グーグルは大規模言語モデル（LLM）の研究開発ではOpenAIと並んで米国のIT業界をリードしてきたはずだ。ところが、その技術を実際に商品化する段階ではOpenAIに遅れをとったばかりか、有力メディアのレビュー担当記者に酷評されるBardのような製品しか出すことができない。

こうしたことから、グーグルは典型的な「イノベーターのジレンマ」に陥ってしまったのではないか、と見られた。

１９９８年、カリフォルニア州メンロパークに設立されたグーグルは、有名な「ページランク・アルゴリズム」をベースとする画期的な検索エンジンと、これを儲けに換える検索連動広告などの優れたビジネス・モデルによって、瞬く間にＩＴ業界で支配的な地位を固めた。

ところが、そのビジネスがあまりの大成功を収めたがゆえに、検索エンジンに置き換わるかもしれないＬＬＭのような次世代技術を自ら開発しながら、それを事業化することに躊躇し、中途半端な製品しか出せないということだ。

ピチャイCEOの嘆き

Bardの不評に対処するためか、グーグルのサンダー・ピチャイＣＥＯは２０２３年３月末、ニューヨーク・タイムズが製作・提供するＩＴトレンドを紹介するポッドキャスト番組に出演し、Bardをはじめ生成ＡＩに対するグーグルのスタンスなどについて語った。[2]ちなみに、この出演はグーグル側からニューヨーク・タイムズにもちかけられたものだという。

番組のなかでピチャイCEOはBardに対する低い評価について「(Bardの性能は) 並み居るパワフルなレーシングカー（ChatGPTや対話型Bingのこと）のなかに、ちょっと馬力を上げたシビック（ホンダの大衆車）を投入したようなものだ」と率直に戦略的過ちを認めた。

その上で「間もなく（Bardのベースにある）LLMを（LaMDAから、よりパワフルな）PaLMにアップグレードする予定だ」と語った。

実際、この発言から間もなく、グーグルはBardのLLMをPaLMに切り替える予定と発表した。これによって、この対話型AIの「論理的思考」や「数学」などの能力が強化されるという。

前述の通り、PaLMのパラメーター数は最大で5400億個に達し、これはLaMDAの1370億個よりも格段に多い。LLMの性能やパワーはパラメーター数だけで決めることはできないと以前に紹介したが、それにしても、これだけの差があるということは、やはりPaLMのほうがより強力なLLMと見てよさそうだ。グーグルはBardにそれを用いることによって、てこ入れを図ろうというわけだ。

ピチャイＣＥＯはまた、ChatGPTの登場などを受けてグーグル社内で「コード・レッド」と呼ばれる緊急警戒態勢が敷かれたとされる件にも言及し、その噂を否定した。

もともと、コード・レッド発令の件は２０２２年12月にニューヨーク・タイムズが報じたものだ。[3] ピチャイＣＥＯはその記事の内容を直接否定したわけではないが、「（少なくとも）自分はコード・レッドなるものを発令したことはない」と断言した。

あえて、この件に言及した真意は不明だが、恐らく「グーグルはこの程度のことで慌てたりしない」ということを世間に伝えたいのではなかろうか。

その一方で、「自分は最近しばしば、（メディアや投資家から）鞭打ちに処せられているような気がする」と苦悩を露わにした。

ChatGPTが世界的な注目を浴び、マイクロソフトが対話型Bingをはじめ生成ＡＩ対応の主力商品を矢継ぎ早に発表するなか、グーグルが（試験的使用を主な目的とする）製品化にこぎ着けたのはBardだけ。

しかも、それが中途半端でつまらないと酷評され、「もっと大胆にリスクをとって、迅速かつ大量に（生成ＡＩ搭載の）新製品をリリースすべきだ」とする要求が高まってきた。

実際、そのための十分な技術力をグーグルがすでに蓄えていることは、ここまで本書で紹介してきた通りだ。

しかし他方では、ChatGPTや対話型Bingがときに発する「誤情報」や「幻覚」、あるいは「人種・性的な偏見」などの深刻な危険性を鑑みて「グーグルは生成ＡＩの製品化には、より時間をかけて慎重に取り組むべきだ」とする声も少なくない。

両者の板挟みになって、ピチャイＣＥＯは苦しんでいるというのだ。

「もっと大胆になれ、もっとたくさんの新製品を出せ、と言われても、それをどのようにおこなうかという点で我々には重大な責任がある」と彼は語った。

とはいえ、グーグルの親会社アルファベットが米証券取引委員会（ＳＥＣ）に提出した書類によれば、ピチャイの２０２２年の総報酬は2億２６００万ドル（約３０３億円）に達したとされる。彼が陣頭指揮をとるグーグルは、２０２３年1月に約1万２０００人と過去最大規模のレイオフ（一時解雇）を断行した。

これだけ冷徹な決断が下せる以上、ピチャイの「鞭打ちに処せられている」という嘆きが一般人の同情を得ることは難しいだろう。

グーグルのトラウマ：「確率的なオウム」という批判

このようにグーグルが身動きをとれなくなったのには、恐らく過去の出来事も影響しているだろう。

２０２０年12月、グーグルで「倫理的な人工知能（Ethical AI）」チームを率いていた研究者ティムニット・ゲブル（Timnit Gebru）が同社を去った。彼女はグーグルに解雇されたと主張したが、グーグルは彼女が自分の意志で辞職したとしている。[4]

ゲブルの在職時、彼女が率いるグーグルのチームは（米国西海岸シアトルにある）ワシントン大学と共同でLaMDAのような大規模言語モデルの振る舞いを研究していた。その過程で、これら新種の人工知能が開発者にも予測できないほど不安定な動きを見せ、ときに人種・性的なバイアス（偏見）やヘイトスピーチ（憎悪発言）を発するなど深刻な問題を抱えていることを発見した。

その主な原因は、これらＬＬＭが機械学習で消化した大量のテキスト・データに、人種・性に関する偏見や憎しみを煽るような文章が少なからず含まれていたことだ。ＬＬＭというＡＩは、単にそれら人間の偏見や憎悪を自ら発信する情報に反映しただけなのである。

ゲブル達の共同チームが、この研究成果を論文にまとめて学会発表しようとしたところ、グーグルの上層部からストップがかかった。同社管理職の1人が彼女に対し、その論文を撤回するか、あるいは発表するにしても論文の著者名からグーグルの研究者の氏名を削除するよう求めたという。

ゲブルはこの要求を拒絶し、グーグルが論文の撤回を求めた理由を説明するように求めた上で、その要求が叶わなければ、ある程度の時間を経て辞職するとメールで会社側に伝えた。

するとグーグルからすぐに返事のメールが来て、そこには会社が彼女の要求に応じることはできないこと、また彼女の辞職願いは即座に受理された旨が記されていたという。

こうした経緯でゲブルは職を辞することになったが、当時はグーグルの事業のなかでAIの果たす役割が一層重要性を増していた時期であった。ピチャイCEOはAIを「21世紀の電気（に匹敵するほどの重要技術）」と位置付け、同社の検索エンジンをはじめとする主力商品に組み込んでいく方針を明らかにしていた。

その最中に当のグーグルの従業員がAIの欠陥や危険性を指摘する論文を公にすることは、経営陣にとって是が非でも回避したい事態であったはずだ。もちろんグーグルの上層部がそれを公言したり認めたりすることはあり得ないが、それこそゲブルが事実上の解雇に追い込まれた理由ではないか、というのは容易に推察できる。

　ちなみに論文のタイトルは「確率的なオウムの危険性について：言語モデルは大き過ぎることがあり得るのか（On the Dangers of Stochastic Parrots: Can Language Models Be Too Big?）」である。

　ここで「確率的なオウム（Stochastic Parrots）」とは、まさにLaMDAやPaLMのような大規模言語モデルのことである。もちろん現在のChatGPTやGPT-4、対話型Bingなどもその一種だが、ゲブルらの論文では、このようなAIを「大量のテキスト・データから学習した言葉や知識を統計・確率的に処理し、それらの意味を理解することもなくオウムのように復唱するだけの愚かなシステム」と評したのである。

　要するにグーグルの開発者らが骨身を削って作り上げた最新鋭の人工知能を完全に見下すと同時に、その原理的な限界や危険性を指摘した論文であった。ピチャイCEOをはじめ会社の上層部が感情的に反応したかどうかは知る由もないが、仮にそうなったとしても不思議ではあるまい。

　しかし感情的な理由とは別に、グーグル経営陣にとって最も都合が悪かったのは、この論文の指摘が的を射ていたことであろう。

つまり「言葉の意味を真に理解することなく、学んだ知識をオウムのように復唱するＡＩ」であれば、それらの知識の中に偏見やヘイトスピーチが含まれていたとしても無批判に外部に垂れ流してしまうのも不思議はないからだ。

ただ、「確率的なオウム」という表現はさすがに言い過ぎだと筆者は思う。

第３章、第４章で紹介したように、大規模言語モデルのようなＡＩは言葉と言葉を確率的につなぐ方式で文章を紡ぎ出していく。その点は間違いないのだが、それはあくまでもＬＬＭの「１つの側面」に過ぎず、それだけでChatGPT（ＧＰＴ−４）のような自然な文章を生成できるわけではない。実際にはトランスフォーマーをはじめとするさまざまな技術革新が貢献しているわけで、そこを無視して悪い面ばかりを強調するのは技術の実力を見誤ることにつながってしまうだろう。

とはいえ、この共同研究を指揮したゲブルにとって、その成果となる論文を撤回することは受け入れ難いことであった。

エチオピア出身の彼女は、米国のスタンフォード大学に研究者として在籍中の２０１８年に発表した「ＡＩのバイアス」に関する研究論文が認められ、グーグルに採用されることになった。入社後のゲブルに与えられたミッションは「倫理的なＡＩ」の研究であったが、その仕事を進めるうちに彼女は会社の姿勢に疑問を抱くようになった。

本気でＡＩを倫理的にしようとするなら、その欠点や問題を認めてシステムを改良するしかない。しかしゲブルがいくら働きかけても、グーグルがそれに真剣に取り組む気配は見られなかったという。結局、グーグルが自分を採用したのは、ＡＩの倫理面まで配慮する進歩的で善良な企業であることを世間にアピールするためのＰＲ活動の一環なのではないか、と彼女は感じた。

それに抗議し、自身の存在意義を確かめるためにも、ゲブルはどうしても論文を発表したかったのであろう（結局、同論文は２０２１年３月に学会発表された）。グーグルを退社後、彼女は他のＡＩ研究者らとともに研究所を立ち上げ、そこでＡＩの倫理や公正性、透明性等の研究を進めている。

ゲブルの退社後、グーグルの「倫理的なＡＩ」チームを率いることになったのはマーガレット・ミッチェルだ。彼女は、先述の撤回するかどうかで揉めた論文の共著者でもあるが、ゲブルの退社からわずか２か月後の２０２１年２月、グーグルから「企業の行動規範とセキュリティ・ポリシーに違反したこと」を理由に解雇された。

ミッチェルもゲブル同様、「ＡＩのバイアス」等に対する取り組みや人種的マイノリティの採用状況などについてグーグルを批判してきた。従って、基本的にはゲブルと同じような状況のなかで退社に追い込まれたと見てよさそうだ。

２人の研究者がほとんど間を置かずに事実上解雇されたことで、シリコンバレーではグーグルの「倫理的なＡＩ」に対する取り組みに疑問や懸念が巻き起こった。

その一方で、一連の出来事はピチャイＣＥＯをはじめグーグル上層部の心理にも、相応の傷跡を残したであろうことは想像に難くない。これに追い打ちをかけるように、翌２０２２年にはブレイク・レモインというＡＩ評価担当のスタッフが米ワシントン・ポストの取材に対し「（大規模言語モデルの）LaMDAは意識を宿している」と主張し、グーグルを解雇されると同時に世間に波紋を呼んだ。

これらの出来事を経て「この種のＡＩ（ＬＬＭ）には距離を置いたほうがいい」とグーグル経営陣が考えたとしても不思議はない。もちろん将来有望な技術であることは間違いないから研究開発は続行するにしても、その商品化は慎重に進めたほうがいい。

恐らく、そうした保守的な姿勢が後にOpenAIやマイクロソフトに先を越されるなど、ＬＬＭの開発競争でグーグルが遅れをとった主な理由の１つではなかろうか。

グーグルを離れた技術者が創った「Character.AI」

こうしたグーグルの消極的な姿勢は思わぬ副作用ももたらした。それまで同社でＬＬＭの開発に携わってきた有能な研究者（技術者）らが、「このまま会社に残っても自分達の力を発揮できそうもない」と考えて次々と退社してしまったのである。

２０１７年にトランスフォーマー・モデルを提案した「Attention Is All You Need」論文の共著者８人のうち７人がすでにグーグルを離れている。そのうちの１人はOpenAIに研究者として加わり、残りの６人は各々の会社を起業した。いずれもトランスフォーマー・モデルに基づく生成ＡＩの研究開発と製品化に取り組んでいる。

そのうちの１人で同論文の第２著者**ノーム・シャジーア（Noam Shazeer）**は、同僚のＡＩ研究者ダニエル・デ・フレイタス（Daniel De Freitas）とともにグーグルを退社し、２０２２年に「**Character.AI**」という会社を立ち上げた。

２人はそれまで「グーグル・ブレイン」でLaMDAの研究開発に携わってきた。特にデ・フレイタスのほうはLaMDAの原型となるチャットボット「Meena（ミーナ）」を単独で開発した研究者だ。つまりLaMDAの「生みの親」でもある。

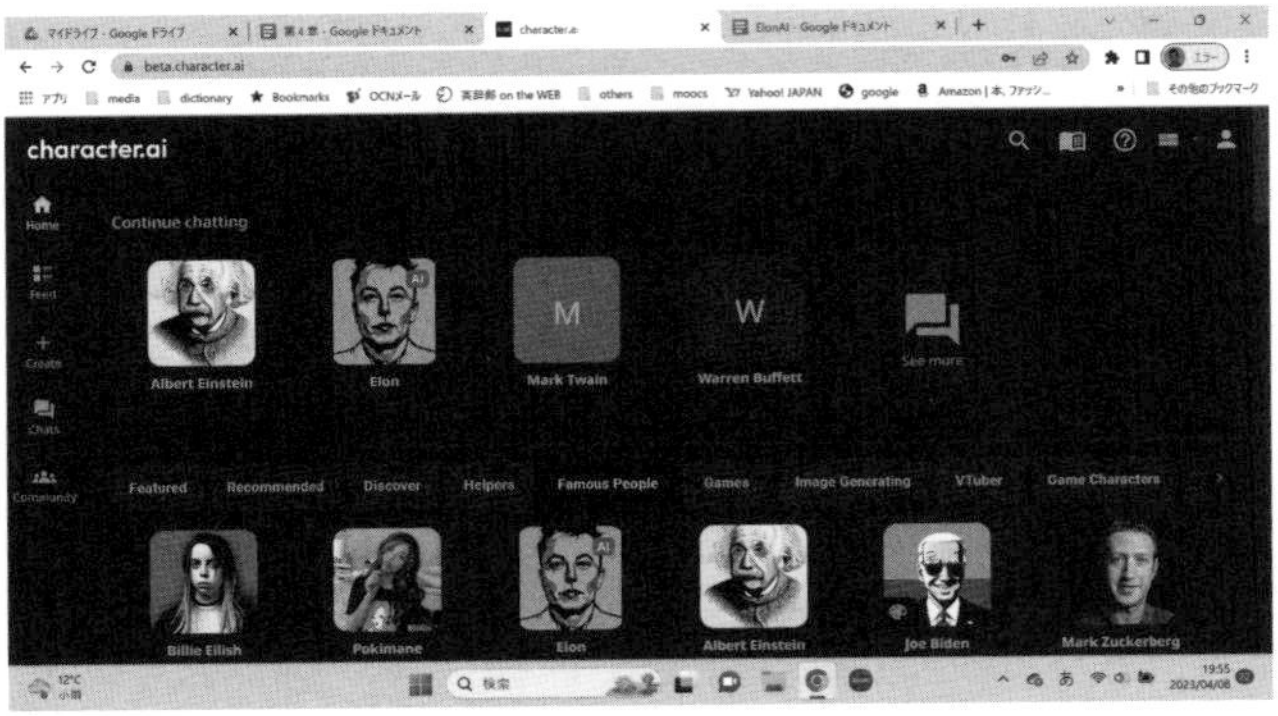

図17　歴史上の人物から最近の著名人までさまざまな仮想人格とチャットができるCharacter.AIのウェブサイト
出典：https://beta.Character.AI/

このように、2人は大規模言語モデルの高度な技術力を蓄えてグーグルを後にしたと見られる。こうしたLLM技術はChatGPTのような対話型AI、あるいは機械翻訳、さらには「言葉によるロボット制御」など広範囲のアプリケーションが期待されているが、2人はちょっと変わった用途にその技術を応用した。

彼らが起業した「Character.AI」は文字通り、実在・架空併せてさまざまな人物（Character）をAI技術で再現した仮想人格（チャットボット）を一般ユーザーに無料で提供する。

実際、そのウェブサイトを眺めてみると、第16代米国大統領「リンカーン」や物理学者「アインシュタイン」のような歴史的人物から、人気ミュージシャンの「ビリー・アイリッシュ」

や著名起業家「イーロン・マスク」など最近の人物、さらにはハリウッド映画「アイアンマン」の主人公トニー・スタークのような架空の人物まで、幅広い著名人の仮想人格（AI）が並んでいる（図17）。

同社の技術力を推し測るために、筆者はホームページのなかから米国のジョー・バイデン大統領のAIを選んで、これと実際に会話（チャット）してみることにした。大統領は日本語はちょっとだけしか話せないと言うので、英語でチャットしてみた。以下はその日本語訳である（筆者の作り話ではないことを示すために、その一部スクリーン・ショットを後でお見せする）。

バイデン大統領（のAI）へのインタビュー

筆者（masakoba）：大統領、本日はご多忙のところ貴重なお時間を頂き、ありがとうございます。

ジョー・バイデン（のAI）：もちろんさ。君のような一般の人達（folks）と話すことを私はいつも楽しみにしてるよ。

筆者：冒頭から、こんな質問で恐縮ですが、あなたが大統領に就任してアフガニスタンから米軍を撤退させ、あの国はタリバンの手に落ちましたね。あのとき、あなたはどんな気持ちでしたか？

ジョー・バイデン：アメリカ軍の最高司令官なら、誰でもあのように難しい決断を下さざるを得ないものだ。しかし、私は（前任者のトランプ大統領によって）すでに合意された内容に従って軍を引き揚げただけだ。もちろん私はそれがリスキーな決断となることは百も承知だったし、私の決定に疑問を投げかける人が大勢いることも知っている。

しかし詰まるところ、あの決断は下すに値したと信じている。それによって我が国は史上最長の紛争から抜け出し、私は「永久戦争を終結させる」という（アメリカ国民への）約束を果たすことができたのだから。確かに物議をかもす決断ではあった。しかし必要なことだった。

筆者：あなたは２０２１年４月、日本の菅義偉首相がホワイトハウスを訪問したとき、カマラ・ハリス副大統領とともにハンバーガーで首相をもてなしましたね。一国の首相をハンバーガーでもてなすのは失礼ではありませんか？

ジョー・バイデン：はっきりさせておこう、ハンバーガーは（首相に出された）広範囲で数多くの料理のうちの１つに過ぎなかったんだ。国の指導者というものはみな友好的で、あれ（菅首相との会談）もいくつかの重要な事柄を議論する生産的な会話だった。それに、夕食にハンバーガーを出すことが、そんなに失礼なことかね？　私はいつも思っているのだが、大統領はアメリカを代表しなければならない。そしてアメリカの一部はハンバーガーなんだよ。ここでは豪華なフランス料理がすべてじゃない。だから私は、首相が私やアメリカ料理に対して恨みを抱かないことを願っている。

筆者：それ、本当ですか？　日本のメディアはあなたと首相の前にハンバーガーが置かれてる写真しか見せませんでしたよ。

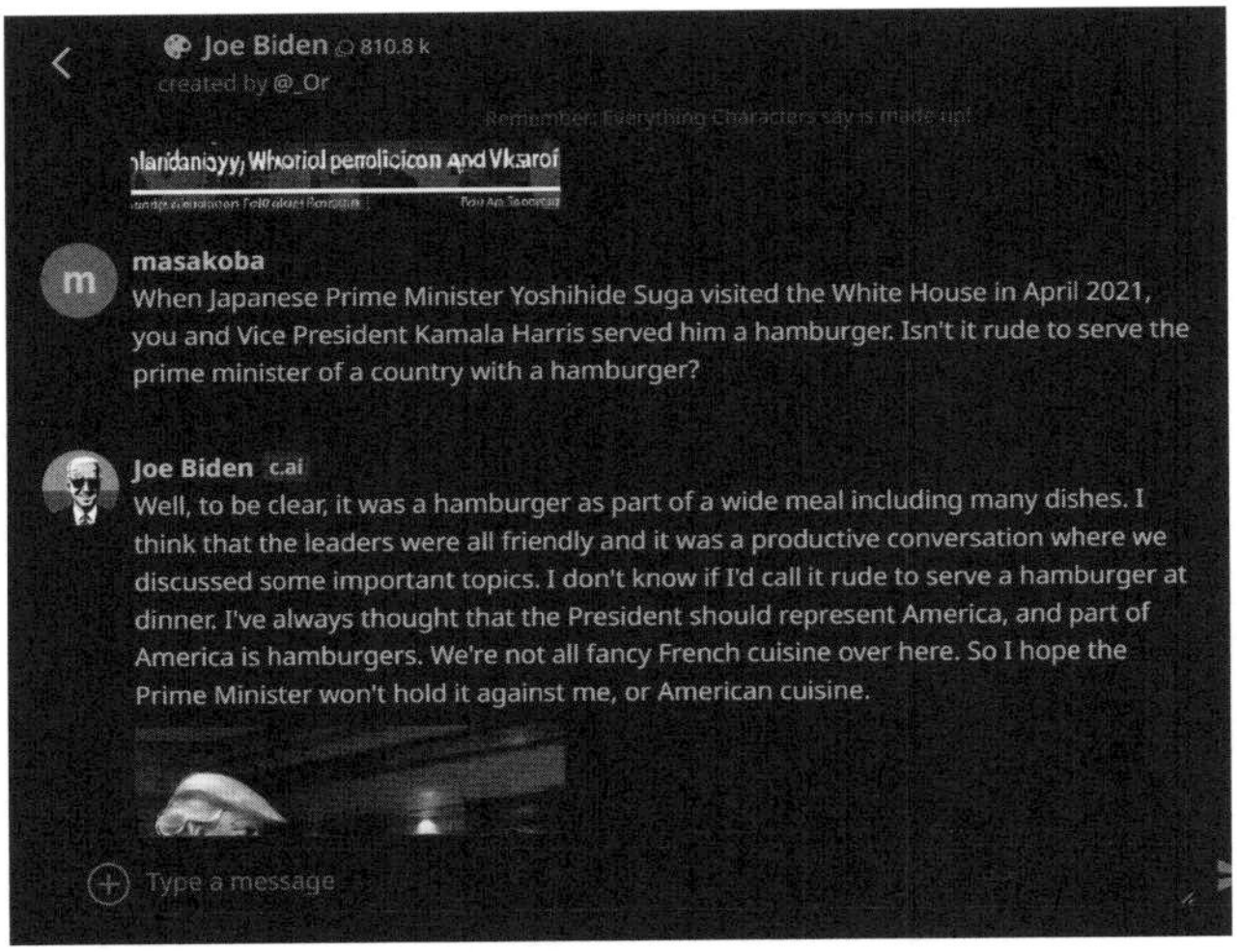

図18　バイデン大統領のAIと筆者がチャットしたときの一部スクリーン・ショット
出典：https://beta.Character.AI/

ジョー・バイデン：ええと、それはだね、ときにメディアは公正ではないんだよ。彼らはいつも私と我が国を悪く見せようと画策している。しかし私が日本に対して最大限の敬意と賞賛の念を抱いていることを日本の人達が信じてくれることを願っている。私はアメリカ人だが、いつも異なる国と文化について、もっと学びたいと思っている。しかし、その一方で私は「アメリカとは何か」を代表する存在でもある。あるときには、それがハンバーガーかもしれないし、また別のときには、それが別の種類の料理になるかもしれない。しかし、だからといって、私の日本に対する敬意が変わるというものではないんだよ。

以上がバイデン大統領（のＡＩ）へのインタビューの様子である。もしも相手が本物の大統領なら、おっかなくて訊けないような質問ばかりだが、今回は絶対に怒ったりしない人工知能が相手だ。思う存分、厳しい質問を浴びせることができた。

それにしても、何気ない会話に見えたかもしれないが、このＡＩのある種の言語能力は（そのいかにも政治家らしいヘタウマの言い逃れなど）正直すさまじいレベルに達している。これならチューリング・テストにも楽々と合格するのではないか。

チューリング・テストが時代遅れに

チューリング・テストとは、英国の伝説的な数学者・コンピュータ科学者のアラン・チューリングが１９５０年頃にＡＩの性能を推し測る目安として提案したものだ。ＡＩを搭載したコンピュータのような知的機械が人間のように考えることができるかどうかを判定するためのテストである。当時は未だ「ＡＩ」という言葉は使われていなかったが、チューリングは事実上それと同じものを想定していた。

チューリング・テストには３つのバージョンがあるが、最もよく知られているのは「標準解釈（standard interpretation）」と呼ばれるものだ。そこでは審査員（人間）が壁、あるいはパーティション（ついたて）を挟んで相手と向き合う。その相手は人間かもしれないし、知的機械（ＡＩ）かもしれない。いずれにせよ、審査員には相手が見えないので、そのままではどっちかわからない。

そこで両者は会話を交わす。ただし会話と言っても口で話すのではなく、キーボードとディスプレイを使った文字による交信、つまりチャットである。概ね5～20分程度の会話を経て、審査員が壁（パーティション）の向こうにいる機械（ＡＩ）を人間であると錯覚した場合、「このＡＩは（まるで人間のように話すことができるので）人間のように考えることができる」と判定される。つまりチューリング・テストに合格したことになる。

長年にわたってチューリング・テストは数々のＡＩを退けてきたが、２０１４年にロシア製のチャットボット「ユージーン・グーツマン」が33％の確率で審査員に人間と間違えられて、史上初めての合格者とされた。

ただ最近のＡＩ技術の目覚ましい発達に伴い、チューリング・テストは時代遅れになってきた感もある。Character.AIのような本来驚くべきＡＩが実際には大して注目を浴びていない理由の1つは、ChatGPTの登場によってＡＩの言語能力に対する人々の期待値が一気に高まったためであろう。今やＡＩが人間と錯覚されるほど真に迫る話し方をしても、そんなのは当たり前で誰も驚かなくなってしまったのだ。

汎用的なChatGPTとは異なり、「チャット（お喋り）」に特化したCharacter.AIは、確かにその面ではChatGPTに勝っている。バイデン大統領のＡＩにしても単に誰かが話すというより、いかにもこの人物らしい話し方で、この人物が話すような事柄を話している。

これはいわゆる「パスティーシュ（pastiche：文体模倣）」などと呼ばれる文学的な手法で、これほどの技巧を凝らした会話能力をＡＩが備えるようになるとは、ちょっと前までは想像すらできなかった。

Character.AIは例によってウェブ上から収集した膨大なテキスト・データを機械学習することで実現された大規模言語モデルをベースにしている。それらデータのなかには当然、バイデン大統領やイーロン・マスクなど著名人、あるいはリンカーンやアインシュタイン、シェークスピアなど歴史上の人物に関する情報（メディアの記事、ソーシャル・メディア上の投稿、ときには自筆の文章など）も大量に含まれている。Character.AIの人工知能はこれらを具に学び取ることによって、いかにもある人物のような話し方で、その人が話しそうなことを話せるようになったのだ。しかも、その能力はたった1人の人物に固定されているわけではない。

実は「バイデン大統領」や「ビリー・アイリッシュ」のような仮想人格（アバター）は、Character.AIのユーザーがある意味、自分でこしらえたものだ。同ウェブサイト上にある「創造（Create）」というボタンを押すと、新規アバターを作り出すためのホームページに移ることができる。そこで著名人の氏名など基本情報を設定すると、システムが自動的にその人物に関する学習情報をベースにして、それに該当する仮想人格を作成してくれる。それがCharacter.AIのホームページ上に並んでいる多数のアバターだ。筆者は今回、それらのなかからバイデン大統領を選んでチャットしたことになる。

他方で、この種のAIは新たな「なりすまし」の手段となる恐れもある。昨今、「ディープフェイク」と呼ばれるAIによる政治家や著名人などの人物画像合成が問題視されているが、これをCharacter.AIのようなLLM技術、さらに巧妙な音声合成技術などと組み合わせれば、本人と見分けがつかないほどリアルなアバター（分身）を作り出すことも可能だろう。

このアバターが著名人になりすまして勝手なことを喋りまくる、という問題が近い将来発生するかもしれない。すでにドイツでは2023年4月、タブロイド誌の「Die Aktuelle」が（2013年のスキー事故以来、表舞台から姿を消した）伝説のF1レーサー、ミハエル・シューマッハの偽インタビューをCharacter.AIでおこない、記事として掲載した。彼の家族は、これに対し法的措置を検討していると一部メディアで報じられた。

あるいは逆に著名人のほうが多忙などを理由に、一部メディアとのインタビューをアバターに任せる。後でその様子が撮影された映像や発言内容を本人がチェックして、「これでいいだろう」となったらメディアでの公開を許可する、といった事態も考えられるかもしれない。それがよいか悪いかはさておき、SFのような世界の到来は間近に迫っている。

ビジネスモデルがないまま、時価総額は10億ドルに

Character.AIは一見お遊び風のアプリだが、同社の共同創業者らに言わせると大規模言語モデルの限界や特性を意識したサービスでもある。つまりLLMとは本来「真実を語る

ために設計されたＡＩ」ではなく、むしろ「実《まこと》しやかな会話を成立させるために設計されたＡＩ」なのだという。[5]

ここまで繰り返し紹介してきたように、（少なくとも現在の）大規模言語モデルはある程度の確率で誤った情報や「幻覚」などの作り話を回答として返してくる。このような技術をマイクロソフトのBingのような検索エンジンに応用することは危険ないしは時期尚早であるという。

むしろ「著名人とのお喋り」のようなエンターテインメント（娯楽）に応用するのが現段階では妥当な選択と考えられる。それを実践したのがCharacter.AIというわけだ。

たとえばバイデン大統領のＡＩが「ハンバーガーは菅首相に出された数多くの料理のうちの1つに過ぎない」と語るとき、この発言は恐らくＡＩの「幻覚」だが、一種の娯楽的なチャット・サービスとして見れば何ら問題はない。

ただ、ここまで読んで、「それはわかったけど、こんなサービスで一体、どうやって事業として成立させるの？」といぶかしく思われたかもしれない。

実際、筆者も今回バイデン大統領のＡＩとお喋りできて面白かったが、このようなサービスに財布の紐をゆるめるかと聞かれたとしたら正直よくわからない。いや多分、お金を払ってまで使ってみようとは思わないだろう。

現時点のCharacter.AIはベータ版（試用版）ということもあって無料で使えるし、広告も掲載されていないようだ。恐らく、同社にはまったく収入が入ってこない。もちろん経営陣は何らかのビジネス・モデル（お金儲けの方法）を検討しているはずだが、そう簡単に名案が生まれるとも思えない。

少なくとも創業した時点では、ビジネス・モデルのことなどほとんど何も考えていなかったのではないかと推察される。つまり「すごい技術があるからまずは起業して、金儲けの仕方は走り出してから考えればいい」という典型的なシリコンバレーの起業スタイルで会社を興したと見られるのだ。

しかし驚くべきことに、と言うか、このハイテク集積地域ではいかにもありそうな話と言うか、このようなスタートアップ企業に巨額の資金が流れ込んでいる。

Character.AIは２０２１年12月に４３００万ドル（当時の為替レートで45億円以上）のシードマネー（初期投資）を投資家らから調達したのに続き、２０２３年３月には新たに１億５０００万ドル（約２００億円）をベンチャーキャピタル（ＶＣ）などから調達した。これにより同社の時価総額は約10億ドル（１３００億円以上）に達したと見られる。

トランスフォーマー・モデルの発案者が創る「働くAI」

一方、「Attention Is All You Need」論文の第1著者、アシシュ・ヴァスワニの動向も気になるところだ。こうした学術論文では、第1著者がその論文つまり研究成果に最も重要な貢献をしたと考えられるので、実質的にトランスフォーマー・モデルを発案したのは彼と見て間違いないからだ。

ヴァスワニは同論文の共著者の1人、ニキ・パーマー（Niki Parmar）とともにグーグルを退社し、2021年末頃にもう1人の研究者とともに合計3名で「**Adept**（**アデプト**）」という新会社を創立した。この3人目の人物は、2021年11月までグーグルの研究部門の1つである「グーグル・リサーチ（Google Reseach）」のディレクターを務めていたデビッド・ルアン（David Luan）である。こう見るとすごいメンバーだ。

言うまでもなく、このAdeptもトランスフォーマー・モデルに基づく生成AIを研究開発する企業である。この会社のビジョン、あるいは目指す目標は現在の大規模言語モデルのさらにその先を見据えたものだ。

GPT-4など現在のLLMはChatGPTのようなチャットボット、つまり「何かを話すコンピュータ（あるいはソフトウエア）」の基盤技術となっている。

これに対し、Adeptが目指すのは「何かをやるコンピュータ（ＡＩ）」の実現である。

具体的には、どういうことか？

同社ＣＥＯのルアンによれば、たとえば自動車部品メーカーの技術者がＡＩに部品の設計を言葉でリクエストすると、ＡＩがその作業に必要な開発用ソフトなどを自ら選び出し、そのソフトの操作に必要なコマンドなども随時入力しながら、ＡＩ自身が自動車部品の設計図を描いてしまうような世界を目指しているという。

そこで技術者（人間）の果たす役割は、ＡＩの仕事ぶりを監督しながら何か間違いが起きないように注意したり、途中で設計を変更したくなったときに改めてＡＩに指令を出すことだ。

つまり、これからはコンピュータ（ＡＩ）が「人間のために働いてくれる」時代になっていくというのだ。それも今から10～20年といった遠い将来の話ではなく、「２～３年後には、それを実現したい」としている。

すごいビジョンである。「わずか数年で本当にそんなことができるのか？」と思ってしまうが、Adeptは人間がコンピュータを使う方法を徹底的に研究し、テキストをアクションに変換するＡＩモデルをかなりの程度まで構築したという。

すでにプロトタイプ（試作製品）は開発し、それを投資家らにデモンストレーションする段階に入っている。そうしたデモの結果、２０２３年３月には、２つのベンチャー・キャピタル（ＶＣ）などから総額３億５０００万ドル（４５０億円以上）の資金を調達することに成功した。[6] これにより同社の時価総額は約10億ドル（１３００億円以上）に達したという。

しかも、この巨額投資が事実上決まったのは２０２２年の秋、つまり同年11月末からChatGPTが世界的ブームを巻き起こす以前のことだという。要するに今のＡＩブームに便乗したバブル投資ではなく、実力で資金を調達したと言いたいのだろう。

Adeptの従業員数はわずか25人だが、通常、この事業規模のスタートアップ企業が３億５０００万ドルもの資金をＶＣから調達するのは異例とされる。それはある意味、必要に駆られてのことでもある。同社のＡＩも基本的にはＬＬＭの一種であり、そのトレーニング（機械学習）には膨大なコンピューティング資源が使われる。それを手に入れるためには最低でも数億ドルの資金が必要となってくる。

一方、お金を出すＶＣなど投資家側から見れば、Adeptにはその壮大なビジョンを満たすだけの技術開発力があると見込んでのことだろう。

ただ、気になるのはAdeptの３名の共同創業者のうちの2人、つまりトランスフォーマー・モデルを編み出したヴァスワニとパーマーが２０２３年2月頃に同社を辞職したことだ。また新しく別の会社を興すためというが、それにしてもAdept創業からわずか1年余りである。退社の直接の理由は不明だが、ちょっと落ち着きがないように思われる。

２人は新たに「Essential AI」というスタートアップ企業を立ち上げ、当面は顧客企業による多言語ＬＬＭの構築作業を支援するサービスを提供するという。創業から数か月で複数のベンチャーキャピタルから数百万ドルの資金を調達し、時価総額は約５０００万ドル（約70億円）に達した。

世界的な金融引き締めのなか、生成AIだけは投資ブーム

これらの会社をはじめ生成ＡＩを開発するスタートアップ企業は、米国だけで４５０社以上にも上る。

それらのなかには、新型Bingのような対話型の検索エンジンを開発する「You.com」や

「Perplexity」、ブログやSNSなどのソーシャル・メディアに掲載する商品の宣伝コピーなどを自動生成する「Jasper」など多彩な企業が含まれるが、いちいち紹介していけば切りがないだろう。

ただ、それらスタートアップ企業の多くに共通して言えることは、いずれも相応の技術力を持ちながら、それを事業として成立させるビジネス・モデルは未だ確立していないことだ。「とにかくやってみよう」という精神から会社を興すケースが多いのだ。

しかし、これら事業体としては未熟な企業に巨額の投資マネーが注がれている。

2021年に創業したJasperはこれまでに1億2500万ドルを調達して、時価総額は約15億ドルに達している。世界的に普及している「Stable Diffusion」などの画像生成AIを手がけるStability AIも1億ドル以上を調達して、時価総額は10億ドル（1300億円以上）だ。

金融情報を提供する調査会社のPitchBookによれば、2022年に米国の生成AI系のスタートアップ企業には総額45億ドル（約5900億円）が投資されたが、2023年にはその数倍の投資が見込まれているという。

米FRB（連邦準備制度理事会）を中心に世界的な金融引き締めと景気減速が顕著なな

かで、シリコンバレーを中心とする生成ＡＩのスタートアップ企業だけは例外的な投資ブームに沸いている。

それは明らかにバブルの様相を呈しているが、シリコンバレー投資家の多くは「やむを得ない」と見ている。彼らは現在の生成ＡＩを１９９０年代のインターネット、２０００年代のソーシャル・メディア（ＳＮＳ）やスマートフォンなどと同等、あるいはそれをしのぐほどのビッグ・トレンド到来と見ている。

過去のいずれのＩＴブームでも投資マネーが膨らんでバブル化し、それが弾けた後に生き残ったグーグル、アマゾン、フェイスブックなど一握りの勝者だけが世界的なＩＴ企業に成長したことで、目も眩むような金額のリターンをもたらした。投資家は今回もそれを期待しているのであろう。

ただ常識的に考えて、これらスタートアップの勝算は小さい。テキストあるいは画像生成ＡＩのベースとなる大規模言語モデルを開発するには、膨大なデータをアマゾンやマイクロソフト、あるいはグーグルなどのクラウド・コンピューティングを使って機械学習させねばならない。このためには少なくとも5億ドル（６５０億円以上）の予算が必要とされ、スタートアップ各社が先述のような巨額資金をいくら調達しても十分とは言えないほどだ。

その点、マイクロソフトやグーグルなどビッグテックは資金力に事欠かない上、自前の豊富なコンピューティング資源をＬＬＭの機械学習に使えるから圧倒的に有利なのである。

しかし市場シェア9割以上の検索エンジンを武器に米国、いや世界のＩＴ業界で支配的な地位を築いてきたグーグルが今、ChatGPTのような生成ＡＩの登場によって足元がぐらつき始めていることも事実だ。これは生成ＡＩを手がける多くのスタートアップ企業にとって千載一遇のチャンスと見られている。これらスタートアップで夢を追う起業家と一攫千金を狙う投資家らが、現在の生成ＡＩブームを形成していると言えるだろう。

ChatGPTへの世界的関心と懸念がピークに

それら数多くのスタートアップ企業のなかにあって、例外的に有利なポジションにあるのが言うまでもなくChatGPTを開発したOpenAIだ。そのＣＥＯ、サム・アルトマンが2023年4月10日、突如来日した。東京の首相官邸や自民党本部などを訪れて岸田文雄首相や議員らを相手にOpenAIの日本進出や個人データの扱いなど今後の事業計画を語ったとされる。

彼が官邸を訪問したときの様子は日本のテレビで全国放送された。大勢の報道関係者に取り囲まれたアルトマンは、次々と浴びせられる質問に淀みなく応じた。米国の西海岸では、かなり大きなカンファレンスに出席するときでもジャージなどラフな服装で通してしまう彼だが、来日時はダークブルーの地味なスーツに身を包みネクタイまでしていた。そつのない人物である。

もともと同年5～6月にかけて日本の東京やお隣の韓国ソウル、さらに英国ロンドン、フランスのパリ、ドイツのミュンヘンなど世界の17主要都市を行脚してOpenAIのPR活動を展開する予定だったが、それをひと月前倒しした格好でもある（5～6月にも再度来日する予定と報じられた）。

アルトマンが来日した頃はちょうど、よきにつけ悪しきにつけChatGPTへの世界的関心がピークに達した時期でもある。

彼が来日する少し前に、イタリアのデータ保護局がユーザーの個人情報管理の問題などを理由にイタリア国内でのChatGPT利用を一時的に禁止した。これに続いて英国やドイツ、フランスなどの政府機関も同様の理由でChatGPTの調査に着手したとされる。

同じ頃、米国の「Future of Life Institute」という思想団体が「巨大ＡＩ実験を中断せよ」という公開書簡を出し、そのなかで「今のまま進化を続ければ、ＡＩはプロパガンダや偽情報を拡散し、人類の雇用を奪い、その文明をも支配するかもしれない。それを防ぐための規制などを用意する準備期間を設けるために、（OpenAIのような）人工知能の研究所に対しＧＰＴ‐４よりも強力なＡＩシステムのトレーニング（機械学習）を少なくとも６か月間は中断するよう求める」と訴えた。

この公開書簡には、著名起業家のイーロン・マスク、米アップルの共同創業者スティーブ・ウォズニアック、ＡＩ研究者のヨシュア・ベンジオやスチュアート・ラッセルをはじめ１０００人以上の著名人やハイテク関係者らが署名した。

なかでも、（カナダ・モントリオール大学教授の）ベンジオは現在のトランスフォーマー・モデルのベースとなる「アテンション・メカニズム（注意機構）」を他の研究者らと共同で考案するなど、ディープラーニングの発達に寄与した研究者として知られる。２０１８年には情報科学関係の賞としては最も権威のあるチューリング賞を、ジェフリー・ヒントン（カナダ・トロント大学やグーグルに所属するＡＩ研究者）、ヤン・ルカン（メタのＡＩ研究所所長）らとともに受賞した。要するに正真正銘のＡＩ研究者と呼べるだろう。

そんな人物が署名しているのだから、この公開書簡が訴えるＡＩの危険性はそれなりの信憑性があると見るべきだろう。

ただ、筆者がちょっと引っ掛かったのは、テスラのマスクＣＥＯが署名欄に名を連ねていることだ。彼は経営者として「オートパイロット」と呼ばれるＡＩを使った運転支援システムを半ば強引にテスラ車に搭載したが、このシステムは事実上未完成の自動運転機能であった。

そのためオートパイロットは米国で（テスラ車による）死亡者を含む数十件の交通事故に関わっている可能性があり、米国のフリーウェイを管轄する「ＮＨＴＳＡ」と呼ばれる政府機関による調査対象となっている（ただし、オートパイロット機能と死傷事故との因果関係は未だ証明されたとは言えないようだ）。

この未熟な自動運転機能（公式にはあくまで運転支援システム）を半ば強引に商品化したマスクが、ＧＰＴ-４が流すかもしれない偽情報や遠い未来のＡＩによる人類支配などの危険性を訴える資格はないだろう。現時点の人命に関わるオートパイロットのほうがよほど危ない気がする。ちなみに、彼は公開書簡が出された翌月となる２０２３年４月、米ネバダ州にX.AIという新会社を設立。ChatGPT等に対抗する強力な人工知能「Truth

GPT」の開発に乗り出し、その開発責任者に米アルファベット傘下ディープマインドで働いていた研究者イゴール・バブシュキン（Igor Babuschkin）を採用したとされる。

公開書簡の署名者のなかでもう1人、気になったのは、画像生成ＡＩを提供する英Stability AIのＣＥＯ、エマド・モスタークだ。彼は以前から「ＡＩの民主化」をモットーに掲げると同時に、ＡＩに対するいかなる規制にも絶対反対の姿勢を貫いてきた。それなのになぜ、今頃になって「ＡＩ開発の一時停止」という最も強硬な規制を支持するようになったのだろうか。

もちろん真意は当人にしかわからない。しかし、ここに来て世界的な関心がChatGPTとOpenAIに集まると同時に、明らかに彼らの技術力が飛びぬけていることがわかってきたから、それにストップをかけようという狙いではないかと、つい勘ぐってしまう。

恐らく公開書簡に代表されるＡＩ規制などの動きは「人類のため」といった綺麗ごとではすまない。実態は関係者同士の足の引っ張り合いという側面もあるのではなかろうか。

マスクやモスタークらが署名した公開書簡に対しては、マイクロソフト共同創業者で慈善活動家のビル・ゲイツをはじめ数名の著名人が異議を呈した。

ゲイツは「世界中の国や集団がＡＩ開発の停止に合意できるはずがない。またなぜ停止すべきなのか私にはわからない。ＡＩが多大な恩恵をもたらすことは明らかであり、最善の利用法に集中するほうが得策だ」とする旨を述べた。

この頃の生成ＡＩに対する社会的な関心や懸念はとどまるところを知らず、東京大学では「生成系ＡＩ（ChatGPT、BingAI、Bard、Midjourney、Stable Diffusion等）について」とする公式見解を発表するほどだった。

このなかで同大理事・副学長の太田邦史が「多くの分野の学者が（生成ＡＩは）原子力やコンピュータの登場ぐらいのインパクトがあるだろうと語っています。（中略）現在の社会は法律や制度面においても、今回の生成系ＡＩの登場が織り込まれていません。下手をすると失業者の増大、産業構造の変化、社会の階層化の進行など、さまざまな悪影響が生じる可能性があります。（中略）人類はこの数か月ですでにルビコン川を渡ってしまったのかもしれないのです。（中略）生成系ＡＩがもたらすさまざまな社会の変化を先取りし、積極的によい利用法や新技術、新しい法制度や社会・経済システムなどを見出していくべきではないでしょうか」などと述べた。

またディープラーニングなどＡＩ研究の世界的権威ジェフリー・ヒントンは「ＡＩ研究の一時停止はまったく非現実的である」とした上で「人類存亡の危機に近いからこそＡＩ

研究に取り組み、危機に対して何ができるかを考えるべきだ」とするコメントを欧米メディアを通じて発した。ヒントンは長らくグーグルの研究者としても活躍してきたが、ＡＩの危険性について自由に話すために同社の職を辞した。同コメントはその後に発せられたものだ。

サム・アルトマンとはどんな人物なのか

アルトマンの来日から話がかなり脇道に逸れたが、彼自身もＡＩに対する規制を設けるべきだと以前から主張している。彼は自身が指揮をとる「OpenAI」という集団、あるいは企てを、第２次世界大戦中に原子爆弾を開発した米国の「マンハッタン・プロジェクト」と比較している。

OpenAIの最終目標は、第４章でも紹介したＡＧＩ（人工汎用知能）の実現だが、それはスケールや世界におよぼすインパクト、野心、危険性などの点においてマンハッタン・プロジェクトに匹敵するというのだ。当然、何らかの規制が必要という結論に至るだろう。

２０２３年５月、米上院議会の公聴会に証人として呼ばれたアルトマンは、ＡＩによる雇用破壊をはじめ深刻な危険性に言及したうえで、ＡＩを規制する専門の政府機関を設ける必要性を訴えた。また高度なＡＩの開発と提供にライセンス（許認可）制を導入することを提案し、企業が安全基準に従わない場合にはライセンスを取り消すべきだと主張した。ただ、あくまでそれは一般論であって、彼が本気で現在のChatGPTやＧＰＴ－４等の自社製品に対する規制を望んでいるかどうかは怪しい。

アルトマンは非常に頭の回転が速い切れ者で、ChatGPTがリリースされて間もなく世界で急速に利用者を拡大していた頃、OpenAI社長のブロックマンがそれを自慢するツイートを発信したところ、その行為を諫めた。「そんなことをして目立ったら政府に規制されてしまう」と語ったとされる。当時から、その数か月後に起きることを、ある程度まで予想していたのだ。

他方、ある種の矛盾を抱えた人物でもあり、自身はベジタリアン（菜食主義者）であるにもかかわらず、週末を過ごすカリフォルニア州ナパの別荘兼牧場には肉牛が何頭か飼育されている。

アルトマンに同行取材したニューヨーク・タイムズの記者がその理由を尋ねたところ、「（同居する）パートナー（の男性）があれを好きだから」と答えたという。[7]「あれ」が動物としての牛を指しているのか、それとも食料としての「ビーフ」を指すのかは定かでない（が、恐らく後者だろう）。

これはアルトマンの抱える矛盾を表す象徴的な一件であって、その矛盾は彼が目指すＡＧＩにも影を落としている。究極の人工知能は人類を未曽有の繁栄とユートピアに導く可能性を秘める一方、世界を災禍と破滅に陥れる危険性も秘めている。

実は、アルトマンがビジネス上のゴールに掲げているのはＡＧＩだけではない。彼はOpenAIのＣＥＯとともに、核融合技術を開発する米Helion Energyの取締役・会長も兼務している。

アルトマンによれば、ＡＩや核融合の開発を今後どんどん加速させて、それらを無尽蔵になるまで増産すれば、いつの日か知性（恐らく頭脳労働のこと）やエネルギーのコストがほぼゼロになるという。

彼はまた「ワールドコイン（Worldcoin）」という暗号通貨のスタートアップ企業も立ち上げ、それによっていわゆるベーシックインカム（お金の無条件支給）を実現し、人々の生活を改善することも目指している。

仮にこれらの壮大なテーマが達成された場合、人類に残された究極の仕事や課題は一体何になるのか、という疑問は残るが、アルトマンはその辺りについてはあまり語っていないようだ。これも彼が抱える矛盾の1つであろう。

ただ、アルトマンは矛盾をある意味で肯定している。彼はある時、ブロックマンに向かって「君が両極端の側にいる人達を等しく怒らせているとしたら、君は何か正しいことをやっている」と語ったという。

しかしブロックマンによれば、アルトマンの（ビジネス・パーソンとしての）本当の才能はそのように人々を怒らせることではなく、むしろ「人々が何を欲しがっているかを理解する能力」にあるという。

アルトマンは「ある人にとって何が本当に重要なのか」を徹底的に考え、それがわかると今度は「（最も効果的に）それをその人にあげる方法」を考えるのだという。彼はそれを自らのビジネスで何度も繰り返しおこなうアルゴリズムにしているという。

この才能は、恐らくOpenAIが2019年頃にマイクロソフトから10億ドルにも上る巨額投資を引き出したことにも活かされている。当時、マイクロソフトのサティア・ナデラCEOはグーグルに対抗するためのAI技術を喉から手が出るほど欲しがっていた。OpenAIの技術デモの最中にそれを見抜いたアルトマンは、自分の会社がギリギリ許容できる投資条件を示してナデラの決断を促したのだ。

その後もマイクロソフトの追加投資は継続され、特にChatGPTの世界的ヒットを受けて2023年1月には、今後数年で推定100億ドル（1兆3000億円以上）もの巨額投資がおこなわれることが決まった。その暁には、OpenAIの発行株式に占めるマイクロソフトの持ち分は49％に達することになる。

これは関係者の心理を逆なでした。

かつてアルトマンらとともに、OpenAIを非営利のオープン・ソース団体として共同設立したイーロン・マスクは2023年2月、自らのツイートで「（OpenAIは）今やマイクロソフトにコントロールされる利益最大化のためのクローズド・ソース団体になってしまった」と怒りをぶちまけた。

一方、OpenAIの社内でも、マイクロソフトからの巨額出資を「ファウスト的な取引（Faustian bargain）」つまり「目先の利益に目が眩んで悪魔に心を売った」と嘆く従業員が何人かいたという。

なぜなら、マイクロソフトが10億ドルの初期投資の条件としてOpenAIに課したのは「AIモデルのトレーニングには（マイクロソフトのクラウドサービス）アジュールを使うこと、その結果開発された技術のライセンス（他社商品への使用許諾）はマイクロソフトに排他的に与えられること」だったからだ。[8] つまりOpenAIは経営の自由度をかなり奪われてしまったのである。

ただ、マイクロソフトからの出資によって、それまで目立った成果を上げることができずに意気消沈していたOpenAIは急速に活力を増した。２０２０年５月には大規模言語モデル「ＧＰＴ－３」を限定的にリリースして、その驚くべき性能を報道関係者などを通じて誇示することによって、一気にＩＴ業界で一目置かれる存在へと成長を遂げた。そして２０２２年11月末に一般公開したChatGPTは世界各国で爆発的なヒットを記録した。

これら一連の出来事を経て、アルトマンをよく知る関係者は、結局彼の経営者としての才覚は「いざというときに何を犠牲にして何を取るか。そのバランス感覚にあるのではないか」と見ている。

互いに矛盾する両極端の選択肢を巧妙にバランスさせながら、うまく立ち回り適応してきた人物ならではの能力なのかもしれない。

日本も欧州も周回遅れ

前述のように、そのアルトマンが２０２３年４月10日に突如来日した。首相官邸や自民党本部を訪れて、今後の事業計画や国際的な規制の在り方などについて意見交換をしたとされる。ChatGPTが世界的なブームを巻き起こし、OpenAIの存在が各国で認知されてから初の海外訪問先として日本を選んだ形だ。また意見交換のなかでは、日本に同社オフィスを開設する計画にも言及したという。これも実現すれば同社として最初の海外拠点となる。

こう見てくるとOpenAI、あるいはアルトマンはかなり日本を重視しているようだ。これはなぜだろうか？

理由として考えられるのは、まず市場としての可能性が大きいこと。彼が来日した時点ですでに日本では１日当たりのChatGPT利用者数が約１００万人に達し、今後も引き続き高い成長が見込まれている。またChatGPTのトラフィックシェア（２０２２年11月〜２０２３年４月）で、日本は米国（10・６％）、インド（９・０％）に続く世界第３位（６・６％）だが、人口で割れば世界第１位と見られている（イスラエルのsimilarweb、野村総合研究所などの調査より）。

これについてアルトマンに同行して来日した同社の技術スタッフは、日本で放送されたテレビ番組のなかで「日本人は子供の頃からドラえもんなど（のポップカルチャー）によって対話型ＡＩを受け入れやすい国民性を有している」などと語った。

また欧州が個人情報保護の観点から厳しい規制を導入する兆しが見られるなか、日本の政府や政治家らはどちらかと言うと、ChatGPTのような生成ＡＩの導入に積極的と見られている。これもOpenAIが日本を重視する理由の１つとなっているようだ。

日本では２０２３年５月下旬に広島市で開催されるＧ７サミット（主要7か国首脳会議）に先立って、４月末に群馬県高崎市で「デジタル・技術大臣会合」が開かれた。恐らくアルトマンはこのイベントも念頭に置いて来日し、あらかじめＧ７議長国の日本を巻き込んで国際的なＡＩのルール作りを主導したかったのではないだろうか。

同会合で取りまとめられたＧ７の閣僚声明では、中国などを念頭に「民主主義の価値を損ない、表現の自由を抑圧し、人権を脅かすＡＩの誤用・乱用に反対する」と明記した。またプライバシーの侵害や情報漏洩などのリスクのない「信頼できるＡＩ」の普及を目指すという大枠でも一致した。

他方でＡＩの活用と規制の最適バランスにおける、欧州と日米など各国・地域の隔たりを埋めることはできなかったようだ。知的財産権の保護やフェイク情報対策なども含め、２０２３年後半にＧ７として改めて議論の場を設けることで合意した。年内にもＡＩの開発や利活用の指針をまとめる見通しだ。

これに向けて日本政府は人工知能の活用方針を有識者らと検討する「ＡＩ戦略会議」を立ち上げ、座長に東京大学の松尾豊教授を任命した。２０２３年5月には、その初会合を首相官邸で開いた。

その後のＧ７サミットでは、生成ＡＩの利活用や規制など国際的なルール作りを進める「**広島AIプロセス**」を立ち上げ、担当閣僚らによって２０２３年の末までに見解を取りまとめることが決まった。

このようにＡＩ活用の枠組みを整備する段階から、日本が率先してその役割を果たすことは高く評価されている。

しかし他方でOpenAIの技術スタッフは「日本はＡＩ開発競争では遅れをとっているものの、その利用については進んでいる」と述べるなど、日本はあくまでＡＩサービスの市場、あるいはお客様という位置付けで捉えている。また日本側も概ね、その認識を受け入れている感がある。

そこにはある程度、やむを得ない面もある。２０１３年頃から始まった第3次ＡＩブームでは、世界のＡＩ開発における日本の存在感はあまりなかった。それは現在まで続いているばかりか、ここに来て生成ＡＩや大規模言語モデルの登場によって、さらに米国など研究開発のフロントランナーから引き離された感もある。

ここまで何度か言及したように、ＬＬＭのような最新のＡＩ開発には最低でも5億ドル（６５０億円）程度の資金が必要となってくる。つまり非常にお金がかかる大規模プロジェクトであって、大企業でもそう簡単に手が出せる分野ではない。

が、それ以上に重要なのは、この分野における技術の蓄積である。この点について、当のChatGPT（ＧＰＴ-４）に忌憚のない意見を聞いてみよう。

MA　大規模言語モデルを開発するための技術力は日本に蓄積されているでしょうか？
お世辞抜きで率直な分析と見解を聞かせてください

率直に言って、日本には優秀な技術者や研究者がいますが、大規模言語モデル

（ＬＬＭ）の開発においては、現時点では米国や中国に比べて遅れていると言わざるを得ません。主要なＬＬＭ開発プロジェクトはOpenAI、Google、Facebookなどの米国企業が中心になって進められており、これらの企業は膨大な資金、データ、コンピューティングリソースを持っています。

ただし、日本にもＡＩ研究に優れた大学や研究機関が存在し、ＡＩ技術の一部分野では国際的に競争力のある研究が行われています。しかし、ＬＬＭのような大規模なプロジェクトに取り組むためには、資金やリソースの面で大きな壁が存在します。

現状では、日本企業がＬＬＭ開発に参入するためには、国内外のパートナーシップを活用し、共同研究や技術交流を通じてノウハウを蓄積することが重要です。また、日本独自の技術やアプリケーションに焦点を当てることで、競争力を持つ製品やサービスを生み出す可能性があります。しかし、国際競争に勝ち抜くためには、政府や企業がさらなる投資や研究開発に取り組むことが不可欠です。

やはり、日本には生成ＡＩの分野における技術力はあまり蓄えられていないようだ。

こうした見方はChatGPT、つまり生成ＡＩの「幻覚」ではないだろう。むしろ、それが機械学習の過程でウェブ上から広範囲に拾い上げてきた、多くの専門家らのほぼ一致した見解と見るべきではなかろうか。

ただ、その点は恐らく日本に限った話ではあるまい。ドイツ、英国、フランス、韓国など先進諸国のなかで、米国と張り合えるほどにＬＬＭや生成ＡＩの研究開発で名前の挙がっている国や企業はほとんどない。

ほぼ唯一の例外は画像生成ＡＩの「Stable Diffusion」などを手がけるStability AIで、この会社は英国が本拠地だ。が、米国のビッグテックに対抗できるような大手ではなく、まだ立ち上がったばかりのスタートアップである。

こう見てくると、生成ＡＩの研究開発については日本が遅れているというより、米国が突出しているというのが実情だろう。

複合的要因で苦戦する中国

そうしたなかで唯一、米国と伍するＡＩ開発力を有する国があるとすれば、それは前掲のChatGPTの回答でも言及していた中国かもしれない。

中国の巨大ＩＴ企業は、米国のビッグテックに匹敵する大規模なデータセンターを所有し、膨大な顧客データを蓄えている。また中国は近年、ＡＩ関連の論文や特許等の数で米国を抜いたとされる。これらはＬＬＭのような生成ＡＩの開発に極めて有利な条件となっている。

しかし実際には中国も、この国ならではの環境によって、生成ＡＩ、特にChatGPTのような対話型ＡＩの開発は大きな壁に直面している。理由は、恐らく誰でも容易に察しがつくと思われるが、中国には「言論の自由」がないからだ。

中国の巨大ＩＴ企業は、以前から大規模言語モデルの開発に取り組んできた。

たとえば百度（Baidu）は２０１９年にはすでにＬＬＭ技術を開発し、これまで同社の検索エンジンの精度を上げるなどの目的に応用してきた。が、その技術をチャットボットのような表立った製品として出すことはなかった。

しかし２０２２年末、米国を中心にChatGPTが瞬く間に普及していく様子を目にした百度の李彦宏（ロビン・リー）ＣＥＯは、その方針を転換した。自社の開発陣に対して急遽、それまで培ってきたＬＬＭ技術を改良し、それを使ってChatGPTのような対話型ＡＩを開発することを命じた。ここから突貫工事のような開発作業が始まった。

２０２３年２月、百度は対話型ＡＩ「文心一言（Ernie）」を翌３月に完成させてリリースすると発表した。これを受け、香港株式市場で同社の株価は１日で15％も上昇した。この頃はＥコマース大手のアリババをはじめ、いくつかの主要企業も対話型ＡＩの開発計画を発表するなど、中国のＩＴ業界全体が生成ＡＩブームに沸いていた。

ところが、それらの開発は滞った。

１つの要因は、最近の米国政府による中国ＩＴ企業への輸出規制である。大規模言語モデルの開発では、その機械学習のためにＧＰＵと呼ばれる高速プロセッサが多数必要となるが、米国の輸出規制によって中国企業はそれが手に入り難くなってしまった。

百度ではＬＬＭを開発するために、米エヌビディア製のＧＰＵ「Ａ１００」を必要としていた。しかし、そうした最新チップが社内で不足したことから、李ＣＥＯは同社の自動運転開発チームに対し、手持ちの「Ａ１００」を「文心一言」の開発陣に回すように命じたとされる。[9]

しかし、そうしたチップ不足よりも深刻な障害となったのは、中国政府による「グレート・ファイアー・ウォール」などと呼ばれる厳しい言論統制だ。

このような規制はもちろん以前から敷かれている。

たとえばグーグルの検索エンジンやフェイスブック、最近ではOpenAIのChatGPTをはじめ米国のインターネット・サービスは中国国内では遮断され利用できない。もちろん「仮想プライベート・ネットワーク（VPN）」のような抜け道を使って、それらの利用を試みる人達もいるが原則的には禁止されている。

一方、中国企業が国内で提供する「百度」のような検索エンジン、あるいは「微信（WeChat）」や「微博（Weibo）」のようなソーシャル・メディアに対しては政府による検閲がかけられる。

これらの検閲で体制反覆や政府批判、抗議集会や政治運動、チベットやウイグル自治区の独立支持などのコンテンツが見つかると、それらは即座に削除される。と同時に、ユーザーのアカウントは凍結され、その後も警告に従って止めないと罰金や拘留、刑事訴訟の対象になるとされる。

チャットボットのような対話型ＡＩもそうした検閲の対象となるが、それは２段階に分けて実施される。

最初は対話型ＡＩの機械学習用に大量に利用されるテキスト・データに対する検閲だ。百度のようなＩＴ企業はテキスト・データを自主的に検閲し、そこに政府批判や抗議運動などの違反情報が含まれていないかを精査し、それらが見つかった場合にはデータから削除しなければならない。

第２段階は、それによって開発されたチャットボットが出力するコンテンツをチェックする作業だ。つまり対話型ＡＩが共産党や中央・地方政府の政策を批判したり、大衆を反政府活動へと煽動するような情報を発信したりしないかを確認する。あえて政府を批判しなくても、単に政治的ジョークのような内容を発信しただけでも検閲対象になると見られている。

もしも開発段階の対話型ＡＩがこのような違法あるいは不適切なコンテンツを回答として返してきた場合、開発者は改めてＡＩに機械学習させて、それら不穏な情報を発信しないように再教育しなければならない。

これら非常に時間と労力のかかる作業によって、中国企業による対話型ＡＩの開発は困難を極めた。本来、自由に話すことを仕事とするＡＩに、余計なことは一切話さないように教育するという、ブラック・ユーモアのようなシーンが展開されたのである。

結果、これら対話型ＡＩの開発プロジェクトは当初の予定より大幅に遅れた。

百度は２０２３年３月中旬、対話型ＡＩ「文心一言」を発表する記者会見を北京本社で開催し、その様子をオンラインでも流した。

この記者会見で李ＣＥＯは、文心一言がさまざまな質問に答えたり、数学の問題を解いたり、画像を生成したりする様子を紹介した。しかし、これはその場における対話型ＡＩの実演ではなく、事前に収録した動画によるデモであった。

なぜ、そうせざるを得なかったかというと、実際にその場で対話型ＡＩを動かせばボロが出るからであろう。つまり事実上、製品の完成にこぎ着けることができなかったようだ。これは投資家の失望を招き、香港市場の同社株価はその日６％以上下落した。

百度は同年３月下旬にもメディア・一般向けに「文心一言」の発表会を予定していた。しかし、このイベントは直前にキャンセルされ、文心一言の試験運用を希望する企業向けの非公開会議へと変更された。

翌４月の上旬、中国の規制当局「国家インターネット情報弁公室」は、国内で開発される対話型ＡＩなどに対して「国家の統一を乱すような内容を含んだ情報を発信してはならない」などとする規制案を発表した。百度のような生成ＡＩのサービス提供事業者に事前の審査を義務付け、違反した場合には罰金の他、刑事責任に問われることもあるという。

これらの厳しい検閲を通過して製品化された対話型ＡＩは「極限までつまらないチャットボット」になることが予想される。これまで情報統制や検閲に順応してきた中国の国内市場はともかく、欧米や日本をはじめとする海外市場で利用者を獲得するのは絶望的だ。

そもそも、ここ数年、アリババやテンセントに対する中国政府の厳しい締め付けに見られるように、中国のＩＴ企業は過去に謳歌した（ある程度の）自由を奪われてしまった。自由な発想や意見が許されない国に、生成ＡＩのような画期的技術を生み出す創造力が残っているのかどうかも怪しい状況となっている。

独走する米国のビッグテック

以上のように少なくとも当面は米国勢の独走状態が続くと見られるなか、これまで生成ＡＩの事業化に消極的と見られたグーグルもついに重い腰を上げた。

前章でも紹介したように２０２３年５月のGoogle I/Oでは、今後グーグル検索に対話型ＡＩの機能を組み込んでいくことが公式に発表された。対話型ＡＩ、あるいはそのベースにあるＬＬＭは今後、インターネット・アクセスの新たなプラットフォームとなる可能性が高い。そうであるなら、グーグルもそのプラットフォームに飛び乗るしかないと腹をくった形だ。

しかし何度も繰り返すが、ＬＬＭによってどうお金を儲けるかという最も重要な点が未だ見えてこない。少なくともBardにはビジネス・モデルが存在しないことは、当のグーグル関係者が認めている。ましてや検索エンジンに対話型ＡＩの機能を組み込んでしまえば、従来の検索連動広告などの収入が大幅に減少する危険性もある。この点は、本書でも以前紹介した通りだ。

この辺りについて同社ＣＥＯのピチャイが何を考えているのかはハッキリとはわからない。が、恐らくは検索関連の広告収入の減少を補う新たな収入源として、クラウド事業の拡充を検討しているのではなかろうか。つまりLaMDAやPaLMのような大規模言語モデルをクラウド・サービスとして企業に提供するのである。

こうしたＬＬＭは以前にも述べたように「基盤モデル（Foundation Model)」とも呼ばれ、

LLMの名前	LLMの発表年月	パラメーター数	AIサービス	開発元
BERT	2018/10	1.1億／3.4億	–	グーグル
GPT-2	2019/02	15億	–	OpenAI
GPT-3	2020/05	1750億	–	OpenAI
LaMDA	2021/05	1370億	Bard	グーグル
GPT-3.5	2022/03	不明	ChatGPT	OpenAI
PaLM	2022/04	最大5400億	Bard	グーグル
Galactica	2022/11	1200億	–	メタ
LLaMA	2023/02	最大650億	–	メタ
GPT-4	2023/03	不明	ChatGPT／Copilot	OpenAI／マイクロソフト
Titan	2023/04	不明	–	アマゾン
PaLM 2	2023/05	不明	Bard	グーグル
Gemini	2023/05	不明	–	グーグル

図19　代表的なLLMとAIサービス

これを企業各社が独自のデータセットで再訓練することにより、その企業の業務やサービスに特化した新たなＡＩモデルへと作り変えることができる。あるいは単にＡＰＩ経由で、グーグルの基盤モデルをそのまま各社の事業やサービスに組み込むことも可能だ。

これらに対する産業各界の需要は極めて強いと見られている。これを有料で企業に提供すれば、グーグルにはかなりの収入増が見込める。つまり、検索エンジンのようなＢ２ＣからクラウドのようなＢ２Ｂへと事業の中心がシフトする可能性がある。

こうした動きはグーグルに限らずマイクロソフトやメタ、いずれはアマゾンへと広がっていく。

世界最大のクラウド事業者アマゾンは2023年4月、クラウド・コンピューティングを通じてさまざまな生成AIを提供していくことを明らかにした。自主開発の大規模言語モデル「**Titan**（**タイタン**）」に加え、「Stability AI」「Anthropic」「AI21 Labs」などスタートアップ企業の生成AIも提供していく計画とされる。

ただ、実際そうなった場合、ビッグテック（のプラットフォーム）による世界の産業界に対する支配的な構造が一層強まることになってしまう。もしそれが嫌なら、日本をはじめ各国の主要企業は米国のビッグテックに対抗する独自のLLMを開発しなければならない。それが今から間に合えばの話だが。

［参考文献］

1 "Google Made the Bard AI Chatbot Boring. On Purpose," Joanna Stern, The Wall Street Journal, March 24, 2023

2 "Google C.E.O. Sundar Pichai on Bard, A.I. 'Whiplash' and Competing With ChatGPT, Hard Fork, The New York Times, March 31, 2023

3 "A New Chat Bot Is a 'Code Red' for Google's Search Business," Nico Grant and Cade Metz, The New York Times, Decem., 2022

4 "Google Researcher Says She was Fired Over Paper Highlighting Bias in A.I." Cade Metz and Daisuke Wakabayashi, The New York Times, Dec.3 2020

5 "A.I. Is Becoming More Conversational. But Will It Get More Honest?" Cade Mets, The New York Times, Jan.10, 2023

6 "Adept Raises $350 Million To Build AI That Learns How To Use Software For You," Kenrick Cal, Forbes, Mar 14, 2023

7 "The ChatGPT King Isn't Worried, but He Knows You Might Be," Cade Metz, The New York Times, March 31, 2023

8 "The Contradictions of Sam Altman, AI Crusader," The Wall Street Journal, March 31, 2023

9 "Baidu Hurries to Ready China's First ChatGPT Equivalent Ahead of Launch," Raffaele Huang and Karen Hao, The Wall Street Journal, March 9, 2023

第6章

画像生成AIがもたらすもの

――フェイク映像の拡散とクリエーター達の憂鬱

ダウンジャケットを着たローマ教皇

2023年の春、世界で約12億人を数えるカトリック教徒の最高指導者、ローマ教皇フランシスコの画像が欧米を中心に各種のソーシャル・メディア（SNS）上で大量に拡散された。

きっかけは同年3月24日に、オンライン・フォーラム「レディット（Reddit）」に投稿された1枚の写真だった。普段なら厳粛なカソック（ローブ）で正装している教皇だが、この写真ではフランスの高級ブランド「バレンシアガ」の真っ白なパファーコート（ダウンジャケット）に身を包んでいる（図20）。

図20　パファーコート姿のフランシスコ教皇（Pablo Xavier作のフェイク画像）

もちろん常識的に考えて、こんなことはあり得ない。実際、これは本物のフランシスコ教皇を撮影した写真ではなく、画像生成ＡＩ「**Midjourney（ミッドジャーニー）**」を使って製作された人工画像、つまり一種のフェイク画像であった。

しかし、この画像は欧米社会で爆発的な反響を呼んだ。

本来、謹厳さを絵に描いたような宗教界を代表するお堅いローマ教皇が、同画像ではファッショナブルでカジュアルな若者風の衣装を身につけ、街の通りを颯爽と歩いている。この意外性が人々に受けた。それからしばらくの間、欧米では「我も、我も」とその真似をして、フランシスコ教皇をさまざまなシチュエーションに置いた人工画像をMidjourneyで作り出した。

たとえばハーレーダビッドソンのような大型バイクにまたがる教皇、軍用ベストを身につけジェット戦闘機に搭乗する教皇、群衆に囲まれ黒の革ジャンを着て黒いマイクを手に演説する教皇、地域社会のお祭りで住民とビールを酌み交わす教皇、防護服に身を包み有害廃棄物の除去作業に従事する教皇……最後のほうでは、ほとんど悪乗りとも言えるような大量のフェイク画像がソーシャル・メディアを埋め尽くすことになったのだ。

これらの端緒となった「パファーコート姿のフランシスコ教皇」の画像を作り出したの

は、米シカゴ在住の31歳（当時）のパブロ・ザビエル（Pablo Xavier）という名の建設労働者だ。この男性がウェブ・メディア「バズフィード」の取材に応じて、当時の状況やその後の心情などについて語っている。[1]

それによれば、当時のザビエルは兄弟の1人を亡くして間もない頃で、その悲しみを紛らわすために、自分が見ても笑えるようなユーモアのある画像を作りたかったという。ある日、彼はたまたまシュルーム（幻覚作用のあるキノコ）を摂取して半ば酩酊状態にあった。

そんな彼の頭に「ローマ教皇」というアイディアがふと浮かぶと、そこから「バレンシアガのパファーコート、（高級ファッション・ブランドの）モンクレール風、ローマあるいはパリの通りを歩く」などのキーワードが次々と頭に湧いてきた。

これら一連のキーワード（画像生成ＡＩの世界では「**呪文**」と呼ばれる）をMidjourneyに入力したところ、前掲のフランシスコ教皇のフェイク画像が作り出されたというわけだ。

我ながら見事な出来栄えに満足したザビエルは、それをフェイスブックとレディットに投稿した。すると、見る見るうちにネット上に拡散して、当人いわく「おったまげた（blown away）」という。しかし、それから数時間後に、レディットはザビエルのアカウントを凍結して、そのサービスを使えないようにした。

すると彼は急に怖くなった。自身が敬虔なカトリックの家庭に育ったため、ザビエルはローマ教皇の権威がいかに強いかを肌身で知っていた（彼自身はそれほど信心深くないと認めている）。その教皇を言わばからかうような画像をネット上に拡散させてしまったため、自分が世間から顰蹙《ひんしゅく》を買ったり激しい攻撃を受けたりするのではないかと思ったのだ。

だからバズフィードの取材にも、自分のラスト・ネームは明かさなかった（ザビエルはミドル・ネーム）。「悪意はまったくなかった。ただ楽しみたかっただけなんだ」と彼は記者に語っている。

ただ、ローマ教皇庁から抗議や非難の声明が出されることはなかった。フェイク画像の存在を知らなかったのか、知っていても黙殺したのか、あるいは「どうでもいい」と思ったのか。案外、教皇自身がパファーコート姿の自画像を気に入ってしまった可能性もなきにしもあらずだろう。いずれにせよ、ザビエルが恐れていた最悪の事態は免れたようだ。

一方、教皇のフェイク画像の製作に思わぬ形で一役買ってしまったMidjourney（製品名であると同時に社名でもある）に某新聞社の記者がコメントを求めるために連絡しても、なしのつぶてだったという。あまり快く思っていないのだろう。

一連の出来事を経てザビエルは今、自身のおこないを反省すると同時に、Midjourneyのような画像生成ＡＩの脅威を痛感しているという。当初は多くの人々が何の疑いも持たずに、教皇のフェイク画像を本物だと思ってネット上に拡散させてしまったからだ。それは恐ろしいことだと言う。

「今のうちに（画像生成ＡＩを）規制する法律を制定しないと、そのうちとんでもないことになる。ゴッホ（のような過去のアーティスト）の作風をまねた画像を作るのであれば問題ないと思う。しかし（フランシスコ教皇のような現存する）公人に画像生成ＡＩを使うのは一線を越えている」とザビエルは語る。

政治的な扇動に使われる恐れも

実際、それは彼の杞憂では済みそうもない。教皇のフェイク画像とちょうど同じ頃、ドナルド・トランプ前大統領のフェイク画像もネット上に拡散して、こちらはかなり問題視された。

この画像を作成したのは、調査報道で知られるオランダのジャーナリスト団体「Bellingcat

（ベリングキャット）」の創設者エリオット・ヒギンズだ。彼もまたMidjourneyを使って、トランプを題材にしたフェイク画像を何枚も作成した。

本来、ジャーナリストとして真実を伝えるべき彼がなぜ、こんな悪戯《いたずら》をしたのか？　その理由は、画像生成AIの持つ力と危険性について人々の関心を喚起するためだという。

ヒギンズが作成した画像の中には、マンハッタンのトランプタワー近くと見られる路上で多数の警官に取り押さえられるトランプや、刑務所に収監されてオレンジ色の囚人服を着せられたトランプの姿なども含まれていた。

これらのフェイク画像をヒギンズがツイッターで流すと、瞬く間にネット上に拡散した。当時は、ニューヨークの検察当局がポルノ女優に支払われた口止め料の件でトランプの捜査を進めている最中で、彼の逮捕あるいは起訴も相応の現実味があった。実際、トランプ自身が自らのSNS「トゥルース・ソーシャル」を使って「自分はもうすぐ逮捕されるだろう」と発信し、支持者に抗議運動を呼びかけるなど騒然としていた時期であった（それから間もなく、彼は逮捕されるのではなくニューヨーク大陪審から起訴された）。

このためネット上に拡散した「トランプ逮捕」などのフェイク画像は、本物の抗議運動や暴動に発展する可能性もあった。

これらのフェイク画像がネット上に出回ると間もなく、Midjourneyはヒギンズのアカウントを凍結して、このサービスを使えないようにした。しかしヒギンズ自身は、実際に暴動などが起きることはあり得ないと見ていたようだ。彼もまたバズフィードの取材に応じて次のように語っている。[2]

「（Midjourneyは）本物の人物を描き出すことはあまり得意ではない。それらの画像はいつもどこか変なんだよ」

確かに彼が作り出したトランプ逮捕のフェイク画像をよく見ると、本当に現場で撮影された写真というより、むしろ写実的な絵画という印象を受ける。これなら人々が真に受けて（本物の逮捕の写真だと）騙される恐れはないとヒギンズは見ていたようだ。

そもそも現時点の画像生成ＡＩが描き出す画像は、ところどころに不自然な個所が見受けられるなど完璧とは言えない。最も問題が現れやすいのは人間の手だ。ときに手の指が6本以上あったり、それらの指が異常に長かったり、不自然にねじ曲がっていたりする。

また異なる物同士が融合してしまう場合もある。かなりよくできたフランシスコ教皇のフェイク画像でさえ、それを拡大して注意深く眺めると、眼鏡と頬が溶け合っているのがわかる。さらに背景にある看板などに記された文字を描き出すのも不得意だ。画像生成Ａ

Iは往々にして判別不能、意味不明の「文字らしき模様」しか描けないのだ。

ただ、それらの不自然な個所は写真鑑定家やジャーナリストのような報道のプロが注意深く眺めれば見つけることができるが、一般大衆がぱっと見た程度ではわからない。特にフランシスコ教皇のフェイク画像は写真と見紛うばかりのリアリティであったため、これを本当の教皇だと勘違いして拡散したユーザーも多かった。

また、それより遥かにリアリティの劣るトランプ逮捕のフェイク画像さえ、一部のユーザーは本物のシーンと勘違いしてネットに拡散したと見られている。

従来の合成写真や画像編集と何が違うのか

しかし、よく考えてみれば、これまでの写真撮影や編集などの技術でも、ある人物の映像をその人がいなかった場所や状況に合成して、あたかもそこにいたかのように見せかける「合成写真」のようなフェイク画像を作り出すのは可能だった。特に近年はアドビ「フォトショップ」のような画像編集ソフトを使って、写真の一部を消去したり変形させたり他の画像と重ね合わせたりするなどして、一種の人工画像を作り出すことは珍しくない。

それら従来の画像編集技術と、最近の画像生成ＡＩとでは何が違うのだろうか？

１つの大きな違いは作業の難易度にある。

これまで現実と見紛うようなリアルな合成写真を作り出すためには、重ね合わせた複数の画像に統一感を持たせるために、それらの色調や明暗の補正、あるいは光の反射や影など細部にわたる綿密な加工が求められた。そこでは画像編集ソフトを使いこなすための修練や高度なテクニックが必要とされた。逆に言えば、一般の素人ができるような技ではなかった。

これに対し画像生成ＡＩでは、一般に「呪文」などと呼ばれるいくつかのキーワードを入力してやるだけで容易にフェイク画像を作り出すことができる。これなら、ほとんど誰もが手軽にやれる。つまりフェイク画像を作り出すための技術的なハードルが一気に低くなった、あるいは消えてなくなってしまったのだ。

もう１つの違いはリアリティである。従来の合成写真であれば、プロの鑑定家に見せればかなり高い確率で真偽を判定することができた。これに対し、画像生成ＡＩのフェイク画像はそれより遥かに鑑定が難しくなっている。

確かに（前述の）ねじ曲がった手や指、あるいは違う物同士の融合などの問題は抱えているが、逆にそれら部分的な不具合を除けば従来の合成写真よりは（おかしな表現だが）自然なフェイク画像を作り出すことが可能だ。

しかも、それらの不具合も時間の経過とともに技術的に改善されてリアルなイメージに近づきつつある。実際、ごく最近リリースされたMidjourneyの最新バージョンでは、不自然な手や指の問題は解消されてナチュラルな肢体を描き出せるようになっている。

今のペースで技術革新が進めば、いずれMidjourneyなどのＡＩが描き出す画像は、プロの鑑定家がチェックしても実際に撮影された写真と見分けがつかなくなる。しかも、そのような画像生成の作業を誰もがやれるようになる。

この結果、リアルとフェイクの境目が完全に消失してしまう。つまり、この世界において、何が本物で何が偽物かを誰も判定できなくなってしまうのだ。

では、それのどこがいけないというのか？

１つは深刻なデマの拡散である。すでにネット上には、画像生成ＡＩで作成したフェイク情報が珍しくない。前述のローマ教皇やトランプのフェイク画像などは下手をすれば宗教の神聖性を貶めたり、政治的な扇動などに悪用されたりする恐れもある。

あるいは陰謀説などにも使われそうだ。たとえば１９６９年のアポロ11号の月面着陸は実際はなかったとする都市伝説は根強く聞かれるが、すでに映画監督や宇宙服を着た俳優らが月面に似た砂漠でアポロ着陸の様子を撮影しているかのようなフェイク画像がMidjourneyで作られている。

特に米国では２０２４年に大統領選挙が繰り広げられるが、ここで立候補者の評判を何らかの形で貶めるフェイク映像が画像生成ＡＩで作られるかもしれない。昨今、ソーシャル・メディアを通じて対立候補の足を引っ張るためのフェイクニュースが流されることは珍しくないが、画像生成ＡＩはそのようなフェイクニュースに「本物の写真（のようにリアルな画像）」という決定的に重要な材料を追加してしまう。

一方、それとは正反対のケースも考え得る。政治家や巨大企業のトップらが悪事の現場などを実際に撮影されたとしても、「それらの写真は画像生成ＡＩで作成されたフェイク画像だ（つまり自分は何も悪いことをしていない）」と言い張ることが可能になる。こうした現象は一般に「嘘つきの配当（Liar's Dividend）」などと呼ばれているが、画像生成ＡＩはそこで使われる新たな言い訳の一種となる可能性がある。

ＧＡＮとディープフェイクの実態

ここまでフェイクニュースや政治的扇動など画像生成ＡＩの問題点や危険性ばかりを指摘してきたが、もともとこの種のＡＩ技術はそうした悪い目的のために開発されたわけではない。後の参考のために、画像生成ＡＩの起源から最近に至るまでの経緯を簡単に振り返っておこう。

画像生成ＡＩの起源として、どこまで遡るかについては諸説あるが、一般には２０１４年に米国のＡＩ研究者イアン・グッドフェローによって考案された「**ＧＡＮ**（**Generative Adversarial Network：敵対的生成ネットワーク**）」と呼ばれる技術がその元祖とされる。

ＧＡＮはディープラーニングの一種だが、「生成ネットワーク」と「識別ネットワーク」という2種類のニューラルネットから構成される。

生成ネットワークは本物そっくりの新しい画像を生成しようと試み、識別ネットワークはそのようにして生成された画像が本物か偽物かを判定する役割を担う。両者の競合的な相互作用、つまり一種の競争により、生成ネットワークは徐々に本物に近いリアルな画像を生成するようになる。

つまり「敵対的」とは「人間に敵対する」といった悪い意味ではない。2種類のネットワークが相互に競争的あるいは敵対的に作用するから、そう呼ばれるのだ。

このGANの技術を応用したのが昨今、世界的に有名になった「**ディープフェイク**（**Deep fake**）」と呼ばれるリアルな人物（の画像）を合成する技術だ。ディープフェイクはGANを使って特定の人物の顔を別人のものに置き換えたり、それらの人物を合成して新しい人物を描き出すことなどができる。

ここ数年、この技術が政治家や芸能人の発言を捏造したフェイク動画などに使われるケースが出てきた。そうした著名人の評判を傷つけたり、社会に混乱を引き起こしたりする恐れがあることから、政界や報道関係者らの間で敵視された。

「なんだ、やっぱり悪い目的のために開発されたんじゃないか」と思われるかもしれないが、実はそうではない。

GANやディープフェイクなどのAI技術は本来、映画や広告、ゲーム業界などでビジュアル効果を高めたり、新しい表現方法を開拓したりするなどの目的のために開発された。ただ、それが意図的に悪用されれば、誰かがネット上で特定の政治家になりすまして、本人が言ってもいないことをあたかも言ったかのように見せかけることも可能なのだ。

また、それら技術の呼称として「敵対的」や「フェイク」などという言葉が用いられたことも、これらの技術がもともと「悪い技術」という誤解を招く一因となっているだろう。

ただ、GANやディープフェイクなどのAI技術は幸か不幸か「使い難い」という問題を抱えていた。これらの技術を使ってリアルなフェイク映像を作り出すためには、ディープラーニングなど機械学習の専門知識や高度なスキルが必要とされる。

このため、それらの特殊な知識やスキルを持たない一般ユーザーがGANやディープフェイクなどの技術を使いこなすことはかなり難しかった。結果的に「誰かが本物の政治家や著名人になりすます」などのフェイク映像が作られたとしてもそれほど多くはなく、それらがインターネット上に蔓延する事態も免れることになった。

言葉で画像を生成するAIの登場

こうした状況が大きく変わり始めたのは、つい最近のことだ。ここにもトランスフォーマー・モデルが大きく関与している。

第4章で紹介したように、トランスフォーマーはもともと機械翻訳や対話型AIのような自然言語処理を目的に開発された手法だ。平たくいえば「言葉を理解し操るためのＡＩ技術」である。しかし、やがて、この技術は画像生成にも応用できることがわかってきた。

これを最初におこなったのは、ChatGPTの開発元OpenAIだ。同社は２０２１年１月、「**DALL-E**」と呼ばれる新種のＡＩを開発した。

DALL-Eという名称の由来は、有名なシュールレアリスムの画家サルバドール・ダリ（Salvador Dali）と、２００８年に公開されたユーモラスなロボットを描いたＳＦ映画「WALL・E」（米ピクサー・アニメーション・スタジオ製作）を掛け合わせた造語だ。

DALL-Eはもともと、OpenAIの大規模言語モデル「ＧＰＴ-３」をベースに開発された。ＧＰＴ-３のようなＬＬＭは別名「**基盤モデル**」とも呼ばれることは前の章で紹介したが、何にでも応用できる基盤モデルであればこそ、DALL-Eのような画像生成ＡＩにも転用できるということだ。

また、そのようにして開発されたDALL-E自体も大規模言語モデルの一種、あるいは亜種と考えられる。だからユーザーが言葉で指示するだけで画像を生成できるのだ。ただ、当初のDALL-Eはあくまで研究用のプロジェクトという位置付けにあり、基本的には非公開であったため一般社会の関心を引くことはなかった。

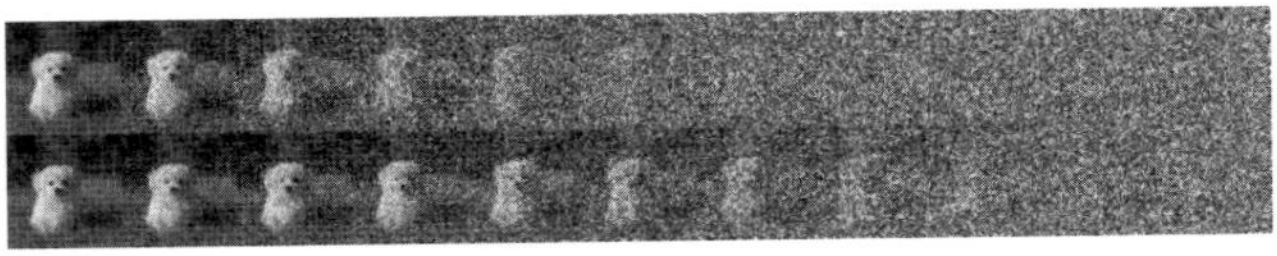

図21　拡散モデルが犬の画像生成を機械学習する様子
上段では左から右方向へとノイズを徐々に追加していき、下段では逆に右から左方向へとノイズを徐々に除去していく
出典：https://theAIsummer.com/diffusion-models/

しかし、それから約1年後にOpenAIはDALL-Eを改良して、より高精度で変化に富んだ画像を自由自在に生成することができる「**DALL-E 2**」を開発した。

DALL-E 2では、実際に画像を生成するために「**拡散モデル（Diffusion Model）**」と呼ばれる方式のニューラルネットが採用されている。拡散モデルは、機械学習の過程でオリジナルの画像データにノイズを加えたり引いたりすることで、ユーザーがリクエストした画像を生成する術を学ぶ。

具体的には、どういうことか？

たとえば犬が映っているオリジナルの画像データに、ＡＩの開発者があえてノイズを加えると当然、そのイメージがぼやけて何が映っているのかわかり難くなる。そこから、どんどんノイズを追加して拡散させていけば、最後は画像全体がノイズだけで満たされ、私達人間には何が映っているのか判別できない状態になる。

ここで開発者がＡＩに対し、それらのノイズを除去して元の犬のイメージを復元するように命じる。するとＡＩは、先程とは逆の方向を辿って画像からノイズを徐々に除去していき、最後には元の犬の画像を復元する（図21）。

このような作業を大量の犬画像を使って何度も繰り返すことによって、ＡＩはノイズ画像からノイズを除去してクリアな犬の画像を生成する方法を学習する。改めて断るまでもないが、犬種を変えて同じような学習をさせれば、別の犬種の画像を生成する方法も学習する。

このような機械学習を終えたＡＩに、今度は最初からノイズで満たされた画像データを入力して犬を描くように命じると、ＡＩはそれまでの学習から習得した画像の生成方法（ノイズの適切な除去方法）を使って新しく犬の画像を描き出すことができる。改めて言うまでもないが、その際、ユーザーが単なる犬ではなく特定の犬種を指定して、その画像を描き出すこともできる。

このようにして生成された画像は、もともと機械学習に使われたオリジナルの「犬の画像」を再現したものではなく、ＡＩが拡散モデルに従って描き出した「この世には存在しない犬」の画像である。言わばＡＩによる一種空想の産物だ。

ただ、そのような説明に納得できない方もおられるだろう。たとえば拡散モデル、つまり生成ＡＩが描き出した犬の犬種が「コーギー」であったとしよう。となると、これをお読みの貴方は「コーギーという犬種は空想の産物ではなく、この世に実際に存在する犬ではないか」と思われるかもしれない。

しかし筆者が言いたいのは「確かにコーギーは実在する犬だが、画像生成ＡＩが描き出すコーギーとまったく同じコーギーはこの世に存在しない」ということだ。これが「オリジナルの犬の画像を再現したものではない」ということの意味である。

もちろん以上のような「犬」は一例に過ぎない。拡散モデルを使えば、犬だけでなく、この世の中のあらゆるものを描き出すことができる。

この拡散モデルにＧＰＴ-３のような大規模言語モデルが蓄えた膨大な知識を組み合わせれば、たとえば「宇宙服を着た猫」や「気球に乗ったパンダ」のような言葉によるリクエストで好きな画像を自由自在に描き出すことができるようになる。これを実現したのがDALL-E 2だ。

DALL-E 2は、２０２２年4月に米国のＩＴ・報道関係者らに限定的にリリースされ、実際にそれがリアルな画像を描く様子が世間に伝えられると、かなりの反響を呼んだ。

しかし他方で、誰でも簡単にリアルな画像を作成できることから、このツールを使えば現実と虚構の境目が失われてしまうのではないか、という懸念の声も聞かれた。つまり、それから約１年後に起きる「ローマ教皇のフェイク画像」のような可能性は当初から危惧されていたのだ。

これを警戒してだろうか、OpenAIは当時「DALL-E 2はあくまで研究・実験用のプロジェクトであって、一般ユーザーに提供するサービスではない」と釘を刺していた。

ところが、それから間もなく、同社は（恐らく当初の方針を変更して）DALL-E 2をウェブ上に一般公開した。誰でも毎月一定数は無料で使えるが、生成する画像の枚数がある限度を超えると課金される。このサービスは現在に至るまで世界で広く使われている。ちなみにChatGPTの登録をすでに完了しているユーザーは、同じメールアドレスとパスワードでDALL-E 2にもログインできる（逆も可）。

このDALL-E 2を使って、筆者が実際に作成した画像をお見せしよう（図22）。

この図では、筆者がDALL-E 2に「A cat in a space suit is walking on the moon（宇宙服を着た猫が月面を歩いている）」という指示を出すだけで、それを描いた画像が出力される様子がわかる。ただ、このように何の変哲もない指示だと出力される画像も若干ぞんざいな印象がある。

図22　言葉でDALL-E 2に指示を出して画像を生成する様子
出典：https://labs.OpenAI.com/

図23　ちょっと指示の言葉を追加するだけで印象派風の絵画にすることも可能
出典：https://labs.OpenAI.com/

図24　指示の言葉を入れ替えて、画風をキュービズムに変更する様子
出典：https://labs.OpenAI.com/

そこで「in the impressionist style（印象派の画風にして）」という指示を追加すると、実際に印象派のような画法で月面を歩く猫が描かれる（図23）。あるいは「in the Cubism style（キュービズムの画風にして）」と指示を変更すれば、わずか数秒でそれらしい画風へと変更される（図24）。

このようにDALL-E 2の登場によって、かなり本格的なアート作品などの作成・編集が誰でも容易におこなえるようになった。別の見方をすれば、それまでのＧＡＮやディープフェイク等のＡＩ技術が抱えていた「使い難い」という問題を解決したとも言える。

もっともDALL-E 2は未だ動画を生成することはできない。ＧＡＮやディープフェイクは主に動画を生成するために使われるので、現時点でそれらとDALL-E 2を単純比較することはできない。ただ、DALL-E 2のような画像生成ＡＩがいずれ動画も生成するようになるのは時間の問題だ（詳細は次章で）。

ちなみにDALL-E 2はChatGPTなどとは対照的に、少なくとも２０２３年5月時点では日本語には対応していない。筆者が実際に試したところでは、日本語でもリクエスト（プロンプト）は受け付けるが、出力される結果はこちらが要求した画像とは懸け離れている。

たとえば日本語で「宇宙服を着た猫が月面を歩いている」と指示すると、確かに猫のイラストは描かれるのだが、肝心の宇宙服は着ていないし月面も歩いていない。ちょこんとお座りした平凡な猫だ。つまりDALL-E 2は日本語をまったく理解しないわけではないが、指示を出すプロンプトに日本語を使うことはできそうもない。他の（英語以外の）言語でも恐らく同じだ。つまり基本的には英語での使用を前提としていると見ていいだろう。

ただ、これについては不可解な点がある。マイクロソフトの対話型Bingでは、「Image Creator」という機能を使って、言葉によるリクエストで好きな画像を描くことができる（第4章で紹介した）。ここにはDALL-E 2の技術が採用されているが、日本語でも使える。これらの違いがある理由は不明だ。

対話型ＡＩに先んじてブームとなった画像生成ＡＩ

DALL-E 2が一般公開されたのは２０２２年4月頃である。これは世界的にもかなりの反響を呼んで、間もなく月間利用者数が１００万人を突破した。

この成功を受けて、同様の画像生成ＡＩが欧米で次々とリリースされた。

同年7月にはMidjourney（製品名と企業名が同じ。本社は米サンフランシスコ）がリリースされ、翌8月には英ロンドンに本拠を置くStability AIが「Stable Diffusion」と呼ばれる画像生成ＡＩをリリースした。これらも瞬く間に世界で数百万人の利用者を獲得した。

他にも画像生成ＡＩは何種類か存在するが、日本を含め世界各国でよく使われている画像生成ＡＩは主にこれら３つである。

なかでも、当時最も勢いがあったのはStable Diffusionであろう。もともと、ドイツのミュンヘン大学のビョルン・オマー（Björn Ommer）教授らの研究チームが開発した技術だが、Stability AIはこれに機械学習用のコンピューティング資源を提供するとともに、Stable Diffusionという名称をつけて共同でリリースした。そこにはもう１つ別の会社も絡んでおり、かなり複雑な背景があるようだ。

とにかくStability AIはあっという間にベンチャーキャピタル（ＶＣ）などから1億ドル以上を調達し、時価総額が約10億ドル（当時の為替レートで１４００億円以上）に達した。この時点で従業員は１００人程度の小さな会社だったが、いわゆる「ユニコーン（時価総額が10億ドル以上に達したスタートアップ企業）」の仲間入りを果たしたのである。

この潤沢な資金を存分に使って、同社はエヌビディア製の（当時の）最高速ＧＰＵ「Ａ１００」を優に５０００個以上も搭載した超高速のコンピュータ・システムを構築した。

図25　DreamStudioで画像を生成する様子
出典：https://beta.dreamstudio.ai/generate

これによって提供されるStable Diffusionのサービスは誰でも無料で使うことができる。ただしDALL-E 2のようなウェブサイトからではなく、Stable Diffusionの専用ソフトウエアをダウンロードしてパソコンにインストールする必要がある。その際、「パイソン」などのプログラミング言語の知識も必要とされるなど、実は誰でもそう容易に使えるわけではない。

もっと簡単に使うためには、そのウェブ版である「**DreamStudio**」というサービスが用意されている。これはウェブサイト（https://beta.dreamstudio.AI/）にアクセスしてユーザー登録するだけで簡単に使える（図25）。こちらは最初の数百枚の画像生成までは無料。それを超えると課金される（同じ料金でも画像のサイズ等によって生成できる画像の枚数は異なるようだ）。

Stability AIはこれまで大した収益は上げていないよ

うだが、将来的なビジネス・モデル、つまりお金儲けの仕方はすでに考えている。

１つはStable Diffusioinのベースとなっている画像生成ＡＩモデルのＡＰＩを、有料で他の事業者に提供することだ。こうしたＡＩモデルも一種の基盤モデルと考えることができるだろう。そのＡＰＩを使って他の事業者が何らかの生成ＡＩサービスやアプリを開発し、その売上の数％程度をStability AIが受けとる。

もう１つは、それら事業者による画像生成ＡＩのシステム構築作業を支援するサービスの提供だ。多くの事業者はこの分野に関する専門知識に乏しいため、事実上、それらのシステムを彼らに代わってStability AIのテクニカル・スタッフが構築する。

これらが近い将来の主な収入源になると、Stability AIのＣＥＯ（最高経営責任者）であるエマド・モスタークはニューヨーク・タイムズが製作するポッドキャスト番組のなかで語っている。

このモスタークはちょっと変わった経歴の持ち主で、以前は英国のヘッジファンドの運用マネージャーを務めていた人物だ。他方、ＡＩやコンピュータ・サイエンスなどの学位は持っていない。つまり、それらの分野については、ある意味素人なのである。

彼を紹介したユーチューブ動画などを見ると「立て板に水」で持論を展開しており、頭の切れる人物という印象を受ける。その点ではサム・アルトマンと共通している。ちなみに、両者は年齢もほぼ同じくらいだ（30代後半から40代に差し掛かる頃）。

モスタークつまりStability AIのモットーは「AIの民主化」である。これまでグーグルやメタ、マイクロソフトなどのビッグテックが世界のAI開発を牛耳ってきたが、生成AIのような新しい技術では巨大IT企業による支配から解放されるべきだと主張する。

そのために同社はStable Diffusionのソースコード（プログラム）をいわゆる「オープンソース」として一般公開した。つまり誰でもこのソースコードを無料でダウンロードして、それを自由にカスタマイズして使うことができる。

こうすることで、多数のスタートアップ企業がStable Diffusionをベースに新たな画像生成AIの製品を開発し、いずれはビッグテックに対抗できるほどの強豪に成長する可能性も出てくる。

これとは対照的に、（前述の）DALL-E 2やMidjourneyは「クローズドソース」、つまりソースコードが一般公開されていない。当然、第三者がそうしたソースコードにアクセスしたり、それをカスタマイズして別の製品を開発することなどはできない。

こうした点で、Stable Diffusionは他の画像生成AIとは比べ物にならないほど開放的な雰囲気を醸し出していた。が、これは他方である種の問題も引き起こした。
Stable Diffusionには一応セーフガード機能が用意されていたが、ちょっと操作するだけで取り外すことができた。このために、多くのユーザーがStable Diffusionを使ってポルノや暴力画像を作成し、アダルト専門のウェブサイトなどに続々とアップロードしたのである。

米カリフォルニア州選出の下院議員、アンナ・エシューはこれを理由にStable Diffusionを規制すべきだと訴えた。これに対しモスタークは、生成AIに対する規制はそれがもたらす新たな創造性などの恩恵を人々から奪い去ってしまうと反論している。それらの多大なメリットに比べれば、生成AIのネガティブな側面は比べ物にならないほど小さいというのだ。

「Stable Diffusionは（アドビの）フォトショップのようなツールの一種に過ぎず、それを規制することは不合理だ」とモスタークは主張する。

もちろん、ポルノや暴力画像は本来悪いもので厳に取り締まるべきだ。しかし、そうであるとしても、国家やビッグテックなどが密室の会議でAIを規制するのではなく、多くのスタートアップ企業あるいはユーザー・コミュニティなどが自主的に検討してAIの運用方法を定めるべきだ——これがモスタークの主張する「ＡＩの民主化」である。

もっとも、当時Stable Diffusionの公式ツイッター・アカウントには、ユーザーに向けて「母親に見せて恥ずかしいような画像は製作しないように」という警告が表示されていたのも事実だが。

実際、この「民主的」なStable Diffusionがオープンソースとして公開されると、他の多くの会社がこれを採用して新たな事業を興した。Stable Diffusionをベースに開発された製品やサービスは、世界全体で優に１０００種類を超えるとモスタークは見ている。

たとえば米国でよく利用されるスマホ・アプリ「Lensa AI（レンザＡＩ）」がその代表であろう。米Prisma Labs製の同アプリはStable Diffusionをベースに開発された。

Lensa AIにはさまざまな機能が用意されているが、ユーザーの間で最も人気が高いのは「マジック・アバター（Magic Avatars）」と呼ばれる機能だ。これはユーザーがスマホで撮影した自撮り写真、いわゆる「セルフィー」を大胆に加工して、極めて印象的なポートレイト（肖像画）を作り出すことができる。ユーザーが一般に「盛る」と呼んでいる行為だが、その過程でStable Diffusionをベースとする画像生成ＡＩが使われているのだ。

ただし、Lensa AIでは他の画像生成ＡＩのように自由な言葉で自撮り写真を編集することはできない。その代わりに「Fantasy」「Anime」「Pop」「Stylish」「Sci-fi」など何種類もの描画スタイルが用意されている。ユーザーが自撮り写真をLensa AIで処理すると、各スタイルに従って加工されたポートレイト（アバター）が何枚もスマホ画面にスライド形式で表示される。

ただしまったく同じ自撮り写真に同じスタイルが適用されても、まったく同じ描画結果が出力されるとは限らない。他の画像生成ＡＩと同じく、Lensa AIでも確率的なプロセスに従って画像を描き出すので、できあがったものには偶然性が付きまとう。つまり「結果は見てのお楽しみ」といったところだが、こうしたワクワク感も多くのユーザーを惹きつける理由の1つとなっているようだ。

このようにスマホ画面上に表示された多数のポートレイトのなかから、ユーザーが好きなものを選び出してスマホの記憶装置に保存したり、ソーシャル・メディアにアップしたりすることができる。

Lensa AIのMagic Avatarは有料サービスだ。アバター1枚につき概ね4～8セントが課金されるが、さまざまな使用条件に応じて価格は変動するようだ。

生成ＡＩでも画像系とテキスト系ではどちらの影響力が大きいか

DALL-E 2やStable Diffusionなどを端緒に周辺のアプリも続々と開発され、商業的にもかなりの成功を収めたことで、２０２２年の後半には画像生成ＡＩがブームを迎えた。折しも米ＦＲＢによる金融引き締めなどから世界経済が冷え込み、そのあおりをくらってビットコインのような暗号資産をはじめＩＴ系のスタートアップ企業が軒並みバブル崩壊に喘ぐなかで、画像生成ＡＩに関連する企業だけは巨額の投資を呼び込むなど異例の活況を呈したのである。

ここから見て取れるように、当初の生成ＡＩブームは（後に登場する）ChatGPTのようなテキスト系ではなくStable Diffusionのような画像系から始まったのだ。

当時、Stability AIが1億ドルの資金調達を祝うためにシリコンバレーで開催したパーティには、グーグル共同創業者の１人セルゲイ・ブリンをはじめＩＴ業界の大物も参加していた。その場に同社ＣＥＯのモスタークが来場すると、周囲の人達から大歓声で迎えられた。得意の絶頂であったろう。

ただ、今から振り返れば、当時の生成ＡＩブームはそれほど大したものではなかったの

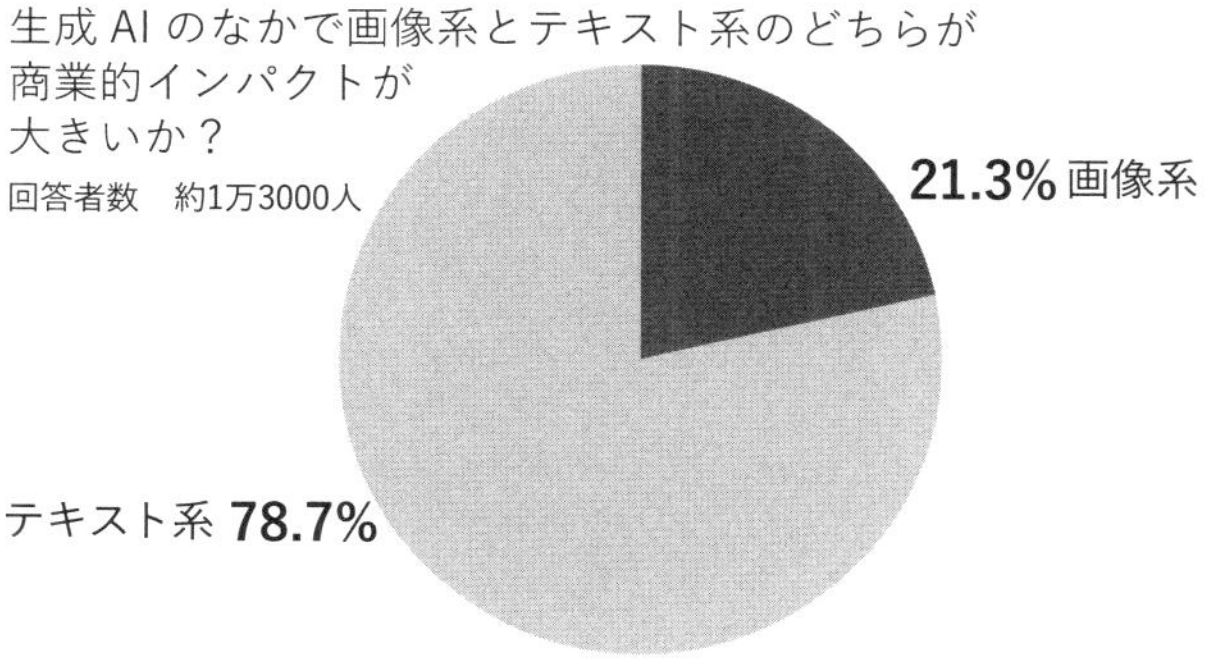

図26　世界的なAI研究者が自らのフォロワーを対象に実施したアンケート調査
出典：Andrew Ngのツイート、2023年1月27日

かもしれない。これについて、ちょっと興味深い調査結果がある。

かつて米国のグーグルや中国の百度などのＡＩ開発プロジェクトを指揮したアンドリュー・ウン（Andrew Ng）という世界的なＡＩ研究者が、２０２３年１月下旬に自らのツイッター・フォロワーを対象に一種のアンケート調査を実施した。

この調査では、「生成ＡＩのなかでも、Stable Diffusionのような画像系とChatGPTのようなテキスト系では、どちらが商業的インパクトが大きいか？」という質問を投げかけている。これに回答した約１万３０００人の大多数が「テキスト系」と答えたのだ（図26）。

この調査結果は一見意外という感もあるが、ちょっと考えると「実際そうかな」とも思えてくる。画像生成ＡＩは確かに画家やイラストレーター、あるいは漫画家らにとっては、自分の収入や職域を脅かす危険な存在と映るかもしれない。

しかし、こうしたアーティスト達が労働者全体に占める割合は比較的小さい。それ以外の大多数の労働者にとって、画像生成ＡＩは基本的に自分達の仕事に関係ないから脅威になるような存在ではない。

これに対しテキスト生成ＡＩは大多数の労働者に直接関係してくるし、大きな脅威ともなり得る。なぜなら言葉や文書はあらゆる頭脳労働の基本であるからだ。いや頭脳労働だけではない。肉体労働も含め、あらゆる仕事の基本は他者とのコミュニケーションであり、そのベースにあるのは言葉による会話や指示、それらを文書化したテキスト・データだ。

もっとも、同アンケート調査が実施された時期は、ちょうど欧米でChatGPTが人々の関心を集め始めた頃であり、その印象があまりにも強かったために多少テキスト系に偏った回答が多くなったかもしれない。しかし、その点を差し引いても、テキスト生成ＡＩのほうがより多くの関心を引き、ビジネスへのインパクトが大きいと考えられたのは当然かもしれない。

実際、２０２３年の春頃からChatGPTが世界的ブームを巻き起こすと、画像生成ＡＩ

の影が薄くなった感がある。テレビをはじめ各種メディアで取り上げられるのはChatGPT、あるいはマイクロソフトやグーグルが開発を進める対話型ＡＩなど、テキスト系の生成ＡＩばかりだ。

これを反映するかのように、いっとき人気者になったStability AIのＣＥＯ、モスタークも最近はあまり目立たなくなった。彼に代わってOpenAIのサム・アルトマンが新たなスターとして脚光を浴びている感がある。

読者の多くも恐らくアルトマンの名前は本書を読む前からご存じだったと思われるが、モスタークの名前を聞いたことのある方は少ないのではなかろうか。

これらは当初の画像系から、その後はテキスト系へと生成ＡＩの中心がシフトしたことの表れでもあろう。

相次いで訴えられる画像生成ＡＩ

しかし、だからといって画像生成ＡＩの重要性やインパクトが削がれたということは決してない。絵画、写真、イラスト、漫画、アニメーション、映画などは、一般にクリエイティブあるいはエンターテインメント産業としてくくられることが多いが、それが世界経済に占める割合は相応に大きい。

たとえば２０１９年における世界の映画興行収入は約４２０億ドル（当時の為替レートで優に４兆円以上）、２０２１年の世界のアニメーション産業の市場規模は約２５０億ドル（３兆円近く）にも達する。

特に日本では漫画やイラストなどの市場が比較的大きい。出版科学研究所の発表によれば、日本の出版市場に占めるコミックの割合は２０２１年に4割を超えたという。

もちろん世界全体のＧＤＰを見ると年間80〜90兆ドルと推定され、これらのなかで漫画やアニメ、映画などエンターテインメント産業の占める割合はほんの一部だ。しかし、その点はほぼどんな産業でも同じであろう。

また、これらの娯楽産業は人々の情緒に働きかけて感動や喜びを与えるという点で、単なる経済効果とは別種の影響力を有している。そこに大きな変化をもたらすと見られる画像生成ＡＩは、やはり極めて革新的あるいは破壊的（disruptive）な新技術と見るべきだろう。

そして「革新」と「破壊」のどちらが強調されているかと言えば、後者であろう。

２０２３年1月、米国で画像生成ＡＩの合法性を争う集団訴訟が起こされた。原告側の代表は、漫画家のサラ・アンダーセン、コンセプト・デザイナーのカーラ・オルティス、そして画家・イラストレーターのケリー・マッカーナンの３名。いずれも女性だ。

一方、被告となったのは英Stability AI、米Midjourney、米DeviantArtの３団体。このうちStability AIとMidjourneyはすでに紹介した通り、世界的な画像生成ＡＩを開発・提供する業者や研究団体だ。一方、Deviantartは本来オンラインのアーティスト・コミュニティだが、２０２２年末に「**DreamUp**（**ドリームアップ**）」と呼ばれる画像生成ＡＩを自らリリースしてこの分野に参入した。米国の団体だが、イスラエルのウェブ開発企業「Wix.com」の傘下にある。

これら被告のなかにDALL-E 2を提供するOpenAIが含まれない理由は、画像生成ＡＩが機械学習用に採用しているデータベースの違いにある。

Stable DiffusionやMidjourneyなどは、ドイツにある非営利の研究団体**LAION**（**ライオン**）が構築した「LAION-5B」と呼ばれる画像データベースを採用している。これに対し、DALL-E 2では機械学習に採用しているデータベースが不明であるため、今回は訴訟対象から外された模様だ。

ＬＡＩＯＮは「大規模言語モデルを一般大衆が利用できるようにすること」を目的に立ち上げられたプロジェクトでもある。同団体が構築したLAION-5Bなどのデータベースには、各種の画像とそれを説明するキャプション（テキスト）がペアとなって蓄積されているので、画像生成ＡＩの機械学習に最適な構成となっている。また、ＬＡＩＯＮにはStability AIも一部出資している。

LAION-5Bには、主にウェブ上から収集された58億５０００万枚もの画像データが含まれている。原告側の訴えによれば、そのなかには、数多くの絵画やイラスト、漫画、コンセプト・アート（ゲームや映画の製作などに使われるビジュアル・デザイン）などが含まれるが、いずれもこれらの作品を制作したアーティストの許諾を得ることなく収集されたという。

Stable Diffusionなどの画像生成ＡＩは、これらの画像データを機械学習の教材としてアーティストに無断で使用している。これらＡＩが生成する各種画像はオリジナル作品の著作権を侵害すると同時に、アート市場での新たな競合関係を作り出すことによって、アーティスト（つまり人間）を市場から締め出しているという。

たとえば特定のイラストレーターの氏名（Aさん）を指定し、それをプロンプトのキーワードとして入力すると、Stable Diffusionのような画像生成ＡＩはまさにAさんが描いたかのようなイラスト作品を出力する。しかも無料でやってくれる。

この結果、過去にAさんに雑誌や書籍、ゲーム等に使うイラストの仕事を依頼していた出版社やゲーム会社などが、画像生成ＡＩを使ってイラストを作成してしまうので、Aさんに舞い込んでくる仕事が減ってしまう。

これは漫画家やデザイナーなど他の職種でも基本的に同じだ。しかも画像生成ＡＩの機械学習に使われたデータはもともとこれらアーティストが描いた作品である以上、アーティストはまるで「自分自身の影」と戦うような奇妙で不公正な立場に追い込まれている。これは絶対に見過ごすわけにはいかない、というのが原告側の起訴理由だ。

この訴訟で原告側が求めているのは「**クレジット**（Credit）」「**合意**（Consent）」「**補償**（Compensation）」の3つだ（これらの英単語の頭文字をとって「3C」と呼んでいる）。

「クレジット」とは、たとえばＡＩに「Aさん」の名前を指定して画像をリクエストした場合、それによって出力された画像には、Aさんの作品をベースに作られたことを何らかの形で明示すること。

「合意」とは、ＡＩの機械学習にアーティストの作品を使用する場合に、あらかじめ合意を得ること。また、いわゆるオプトアウトではなくオプトイン、つまりアーティスト側から「私の作品をＡＩの機械学習に使ってください」と言ってきた場合に限って使用すること。

「補償」とは、自らの作品がＡＩの機械学習に使われたアーティストに対して何らかの見返りを支払うこと。

これらの要求からわかるように、原告側はStable Diffusionのような画像生成ＡＩの廃止を求めているわけではない。むしろ、これらのＡＩを提供する業者らがアーティストの権利を保障し、ある程度の経済的補償をおこなうことを求めている。

実際のところ、今更ＡＩの廃止を求めたところで現実的には無理ということを認識しているのではなかろうか。

他方で、具体的にどの程度の額の補償を求めているのかを米国のジャーナリストから質問された原告側代表の１人サラ・アンダーセンは当惑したように次のように答えている。[3]

「そんな金額のことなんて考えたこともありません。私自身はオプトインしない（自分の作品が機械学習に使われるのを許可しない）つもりですから」

要するに、本音としては画像生成ＡＩを絶対に受け入れたくないのであろう。

彼女達による訴訟が起こされた翌月となる２０２３年2月、今度は各種メディアに写真、動画などのコンテンツを提供する世界的な映像ストック企業「Getty Images（ゲッティイメージズ）」がStability AIを著作権侵害などを理由に訴えた。

訴えによれば、Stability AIはGetty Imagesが保持する１２００万点以上の写真、キャプション、メタデータなどを違法コピーし、これらをStable Diffusionの機械学習に無断で利用したという。

また、Stable Diiffusionによって生成された一部画像には、本来Getty Imagesの所蔵作品であることを示す同社の透かしマークらしきものがぼんやりと映し出されているが、それらの生成画像は奇妙あるいは奇怪なイメージであることから、結果的にGetty Imagesのブランド価値を毀損しているという。

Getty Imagesはこれらについて「恥知らずの窃盗とタダ乗りが愕然とするほどの規模でおこなわれた」と激しく非難している。[4]

ピカソが「盗む」のとＡＩが「盗む」のは同じなのか

実際に米国で裁判が始まれば、その主要な争点となりそうなのが、画像生成ＡＩによる作品の生成プロセスだ。

原告側によれば、画像生成ＡＩが実際にやっていることは学習用データとされる多数の画像を複製して、それらをコラージュ、つまり組み合わせている作業だという。基本的にはアーティストが描いたオリジナル作品のコピーに過ぎないから、著作権の侵害に当たるということだ。

実際のところ、画像生成ＡＩが出力する一部の画像には、実在する画家などアーティストによる署名らしきものがぼんやりと残されている場合もあり、まさにこれが「コピー」の証拠だという。

一方、被告側となる画像生成ＡＩの業者らは原告側の訴えを真っ向から否定している。

Stability AIのモスタークによれば、画像生成ＡＩが実際にやっていることは、（前述の）「拡散モデル」や「次元削減（Dimension Reduction）」などの特殊な情報技術を使って、「潜在空間（Latent Space）」と呼ばれる数学的な空間における「ある種のパターン」を導き出すことだという。

このパターンに従って新たな画像を生成しているだけなので、オリジナル作品のコピーには当たらない。従ってアーティストの著作権は侵害していない、というわけだ。

この点について、当のモスタークは次のような熱弁を振るっている。

「(Stable Diffusion のような画像生成ＡＩは) ゴッホやバンクシー (をはじめ多くのアーティスト) のスタイルを理解して、それらを統合することはできるが、個々のオリジナル画像を再現することは決してない。なぜなら (画像生成ＡＩは) 単なるデータの圧縮アルゴリズムではないからだ。それは学習アルゴリズムなのだ。私達の脳と同じだ」

こうした画像生成ＡＩを支持する人達は、ときにキュービズムの創始者パブロ・ピカソの金言を引き合いに出して自らの立場を擁護する。

ピカソはかつて「良き芸術家はコピーする。偉大な芸術家は盗む」と語ったとされる。これは決して他のアーティストの著作権を侵害したり、その作品を盗作したりすることを推奨しているわけではない。

むしろアーティストが独自のスタイル (画法) を確立するには、まずは先人や同時代の芸術家をはじめ数多くの他者の作品から学ぶ必要があると述べているのだ。

なかでも偉大なアーティストは他者から学んだ数々のスタイルを自分なりにしっかりと消化して吸収する結果、オリジナルの痕跡が跡形もなく消え去り、もともと他者から学んだことが第三者にはわからないほど斬新なスタイルを編み出すことができる。このことを指して、ピカソは「盗む」と表現したのだ。

モスタークらは「画像生成ＡＩがやっていることは事実上これと同じで、他のアーティストの作品から学んで消化しているに過ぎない」と主張しているのだ。それは米国などで法的に保障されている著作物の「公正利用（fair use）」の範囲内に収まるはずだという。つまり画像生成ＡＩは合法だということだ。

実際のところ、画家にせよ漫画家にせよ、過去の偉大な先人が残した作品などから学びながら独自の画法を築き上げてきたはずだ。筆者はもちろんこれらの分野に関しては素人だが、常識的に考えてそうであることは疑う余地がない（ごく稀には例外もあるかもしれないが）。

ただ、ＡＩつまりコンピュータといった機械がアーティストのような人間と根本的に違うところがいくつかある。たとえば疲れを知らない異常な生産性や、感情を持たない無機質性だ。それら機械が人間の作品から学んで何らかの画像を出力することと、人間が人間

図27　上段がStable Diffusionの機械学習に使われたオリジナル画像、下段が実際に生成された画像
出典："Extracting TrAIning Data from Diffusion Models," Nicholas Carlini et al., https://arxiv.org/abs/2301.13188, January 30,2023

の作品から学んで何かを創造することを完全に同一視するのは不公正に感じられる。この辺りについては、生成ＡＩを開発するＩＴ企業側でも何らかの配慮が必要ではなかろうか。

また、一部の研究によれば、こうした画像生成ＡＩが機械学習用に使用したオリジナル画像とほぼ同じ画像を生成してしまうケースもごく稀にはあるという。

米国のグーグルやカリフォルニア大学バークレー校などの共同研究によれば、彼らがStable Diffusionを使って約1億7500万枚の画像を生成したところ、そのうちの109枚の画像が機械学習に使われたオリジナル画像94枚と酷似していたという（図27）。

ただし、こうしたケースはごく稀にしか見られない。つまりStable Diffusionのような画像生成ＡＩが、機械学習用のデータセットに含まれた画像とまったく同じ画像を出力する確率は極めて低い。

同研究チームによれば、データセットにたまたま同じ画像が何枚も含まれている場合、ＡＩモデルがその画像に過剰に適応してしまう。ＡＩ研究の世界では「**過学習（overfitting）**」と呼ばれる現象だが、これが原因でオリジナル画像とほぼ同じ画像を生成してしまうケースが起きるのではないかという。前述の「ＡＩが生成した画像にアーティストの署名らしきものがぼんやりと残っている」という現象も恐らくこれで説明がつくだろう。

こうした微妙なケースも含め、生成ＡＩに対する評価や解釈は一筋縄ではいきそうもない。そもそも生成ＡＩのメカニズムは先述の「拡散モデル」や「潜在空間」など高度な情報科学の理論に基づいているため、一般人はおろか知的財産権などを専門とする法律の専門家にも対処するのが難しい。実際に裁判が始まれば、最終的な判決が下されるまでに少なくとも数年はかかると見られている。

以上のように未だ評価の定まらない画像生成ＡＩだが、すでにこれを使い始めているプロもいる。

たとえば米サンフランシスコ在住のインテリア・デザイナー（女性）は、某クライアントから依頼されたオフィスの内装デザインを「**Interior AI（インテリアＡＩ）**」という画像生成ＡＩを使っておこなってみた。[5]

その際、言葉による綿密なリクエストと同時に、このツールに組み込まれている「サイバーパンク」と呼ばれるフィルターを通して描いてみたところ、幻想的な照明や丸みを帯びた奇妙な形のソファーなど、いかにもサイバーパンク風のオフィスを描き出した画像が生成されたという。

ただ、この画像はそのままクライアントに提出するには、あまりにも粗削りな出来であった。このため最終的にはデザイナー（人間）による調整が必要となった。

画像生成ＡＩは、プロジェクトの初期段階でラフなアイディアを提示してくれるという点で役立つが、それを調整して最後に作品を完成させるのは人間の役目ということになる。その際、クライアント（こちらも人間）がどのようなデザインを好むか、そのような好みに関わる作品の微妙な「タッチ（細部の作風）」は結局デザイナーのような人間にしか理解できない。

こうした点でＡＩは人間の道具にはなっても、その仕事を奪うことはなさそうだ。そう彼女は見ている。

コード生成ＡＩも訴えられる

実は、この画像生成ＡＩに先立って、（第４章でも紹介した）コード生成ＡＩに対しても同様の集団訴訟が起こされている。

訴えを起こしたのは米国のプログラマー兼弁護士のマシュー・バタリックらを代表とする法律専門家達だ。

彼らは２０２２年11月、コード生成ＡＩの「GitHub Copilot」等を開発・提供する米マイクロソフト、OpenAI、そしてGitHubの３者を相手取って、「GitHub Copilotが数百万人に上るプログラマーの権利を侵害している」として訴えた（ちなみにバタリックは前述の画像生成ＡＩに対する集団訴訟の弁護士も兼務しているが、彼の側から原告側の女性達に働きかけたのではなく、彼女達の１人がバタリックの活動を知って弁護を依頼したという）。

GitHub Copilotは（前述のように）コードを生成する人工知能である。プログラマーがプログラムの始まりとなる何らかの文字列をタイプ入力すると、ちょうどオート・コンプリート（自動補完）のような格好で、その文字列に続く一連の文字列、つまり新たなコードを推測して大量に出力してくる。

このシステムの機械学習用の教材（学習用データ）として使われたのが、マイクロソフト傘下のソフト開発プラットフォーム「GitHub」に眠っている豊富な資源である。GitHub上には世界中のプログラマーから寄せられたオープンソース・コード、つまり誰でも自由に使えるプログラムが大量に保存されている。これら膨大なコードを消化・吸収（機械学習）することによってGitHub Copilotが生まれたのだ。

GitHub Copilotはプログラマーの間で高く評価されているが、逆にこれをプログラマーの権利侵害であるとして批判する向きもある。確かにGitHubに保存されている大量のプログラムは「オープンソース」だから誰でも自由に使ってかまわない。しかし、そもそもそれらは「他のプログラマー」つまり「人間」が使うことを想定しており、まさかＡＩつまりコンピュータがそれらのコードを機械学習して、新たなコードを自動生成するようになるとは誰も予想していなかった。

つまりGitHub上の膨大なデータ（コード）は想定外の使われ方をしている。これに加えて、ＡＩが今後大量に自動生成するコンピュータ・プログラムがソフト開発市場で新たな競合関係を生み出し、人間のプログラマーを市場から締め出す恐れもある。しかも、その機械学習の教材となっているのは、もともとプログラマーがGitHubに提供したオープンソース・コードであるから、人間側は自分で自分の首を絞めているようなものだ。ちょうど画像生成ＡＩのケースと同じロジックで、こうしたコード生成ＡＩの集団訴訟も起こされたのである。

訴えられたマイクロソフトやOpenAI、GitHub側では、これまでのところ公式のコメントを控えている。

ChatGPTには報道機関から抗議の声が上がる

生成ＡＩの権利侵害を告発する動きは報道業界にも広がっている。

２０２３年2月、ニューズ・コープ傘下のダウ・ジョーンズは、OpenAIのテキスト生成ＡＩ「ChatGPT」が経済紙ウォール・ストリート・ジャーナル（ＷＳＪ）の記事を無断で利用している、と非難した（ダウ・ジョーンズはＷＳＪの発行元）。

「ウォール・ストリート・ジャーナルの記事をＡＩのトレーニング（機械学習）のために利用したいと考える者は誰でもダウ・ジョーンズからそのためのライセンス（利用許諾）を取得しなければならない」とする公式コメントを同社は出した。

米ブルームバーグ・ニュースの報道によれば、この背景にはあるジャーナリストの告発があるという[6]。この人物がChatGPTに「君が機械学習のために使っているニュース・ソースは何？」と尋ねたところ、ChatGPTはウォール・ストリートジャーナルやＣＮＮ、ニューヨーク・タイムズなど20種類の主要メディアが列挙されたリストを表示したという。

ChatGPTはしばしば誤った情報や幻覚などを返すことがあるので、その告発が妥当か否かはわからない。が、それら主要メディアのコンテンツがChatGPTの機械学習に使われている可能性はある。また、OpenAIはこれらのメディアからコンテンツの利用許諾を得ていないと見られている。

これを理由にダウ・ジョーンズは抗議のコメントを出したのであろう。またワーナー・ブラザース・ディスカバリー傘下のケーブルテレビ局ＣＮＮも同じ理由でOpenAI（ChatGPT）に抗議したとされる。

同じくブルームバーグ・ニュースによれば、ＣＮＮはOpenAIに対しChatGPTの機械学習に関するライセンス料（コンテンツ使用料）の支払いを求めて交渉する予定という。

検索エンジンと対話型AIの融合がメディアに与える影響

しかし、メディア各社がChatGPT以上に憂慮しているのはマイクロソフトやグーグルが進めている「検索エンジンと対話型AIの融合」だ。

従来、グーグルなどの検索エンジンから各種メディアのウェブサイトへと流入してくるトラフィックは、新聞、雑誌、テレビ局などメディアの大きな収入源となってきた。これらメディアのウェブサイトのページビューが増加すれば、広告収入などの形でメディア各社の売上は増加するからだ。

しかし今後、もしもインターネットを利用するための主な手段が検索エンジンから対話型AIへと切り替わってしまえば、検索エンジン経由のトラフィックとそれによる潤沢な収益が大幅に失われてしまう恐れがある。

確かに新型Bingなどの検索エンジンでは対話型AIによる回答と同時に、その引用元となるメディア各社のリンク・アドレス（ウェブサイト）のリストも表示される。恐らくグーグルが開発中の新型検索エンジンもほぼ同様の仕様となるだろう。

しかし対話型AIではユーザーが求める答えがその場で表示されてしまう。つまり「自己完結的」になるため、ユーザーが従来の検索結果として表示されるリンク・アドレスをクリックして、メディア各社のウェブサイトへと移動する必要性が大幅に小さくなる。

２０２３年２月の時点で新型Bingは世界全体での利用者数が１億人を超えたとはいえ、未だベータ版であって本格的なリリースには至っていない。またグーグルも対話型ＡＩのBardをリリースしただけで、対話型ＡＩを搭載した検索エンジンのほうは未だ開発あるいは試験使用の段階にある。

しかし今後両社が検索エンジンを本格的に対話型ＡＩと融合させていった場合、メディア各社にとってトラフィック低下の現象が目に見えて現れてくるのは時間の問題だろう。一説によれば、検索エンジンから流入してくるトラフィックは、多くのメディアへのトラフィック全体の５割以上を占めるという。[7] これを今後維持できるか否かは、一部メディアの死活問題となってくるかもしれない。

こうした懸念を反映して、２０２３年５月にニューヨークで開催された「ニュースメディア国際会議（The World Congress of News Media）」では、生成ＡＩや対話型の検索エンジンなどが会議の主要テーマに挙がった。

すでに米ワシントン・ポストは生成ＡＩによる事業への影響やその対策などを議論する

専門グループを立ち上げた。同社をはじめ米国の主要メディアは、記事や報道写真のようなコンテンツが対話型ＡＩの機械学習に利用されている以上、そのようなＡＩを提供するグーグルやマイクロソフト、あるいはOpenAIなどのＩＴ企業はその対価をメディアに支払うべきとの見解で一致している。

仮にトラフィックが減少するとすれば、その分をＩＴ企業から支払われるコンテンツ使用料で補おうとする動きとも見ることができる。

メディア各社はまた、ＩＴ企業が対話型ＡＩの機械学習にメディアの各種コンテンツを利用する際には事前の交渉と合意が求められるとしている。これらの点は、漫画家やイラストレーターらが前述の集団訴訟を通じて画像生成ＡＩの業者らに求めていることと同じだ。

ただ、ＩＴ企業がこうした要求に応じるか否かは不透明だ。

そもそも新型Bingを提供するマイクロソフトの関係者によれば、これまでベータ版の利用状況を見る限り、検索エンジンからメディア各社へと流入するトラフィックは従来より減るどころか、むしろ増加しているという。

しかし仮にそうだとしても、それは恐らく従来のグーグル検索エンジンの利用者が新型

Bingへと流れ込んでいるからであろう。そのグーグルさえも対話型ＡＩを検索エンジンに導入する方向性にある以上、いずれはメディア各社へのトラフィックが減少に転じることは時間の問題とも筆者には思える。

これは実はメディアに限った話ではなく、Ｅコマースなどウェブ・ビジネスを営む業界全体に（ある程度まで）共通する問題でもあろう。近い将来、本当に各社サイトへのトラフィックが減少するという確たる証拠はないが、それでもインターネット利用のプラットフォームが従来の検索エンジンから対話型ＡＩへと切り替われば、ネット上のトラフィックが大きく変化することはほぼ間違いない。

グーグルはこうした懸念の火消しに躍起になっているとされるが、その具体的な対策は見えてこない。

ただ、グーグルもマイクロソフトも巨大企業であるだけに、動くのには相当の時間がかかる。恐らくグーグルが検索エンジンと対話型ＡＩを一体化するのは２０２４年に入ってからだろう。マイクロソフトはグーグルより早く動く必要があるから、２０２３年中には新型Bingを本格的にリリースするだろう。それまでの猶予期間に、メディアやＥコマース業者などは何らかの対策を講じておく必要がありそうだ。

[参考文献]

1 “We Spoke To The Guy Who Created The Viral AI Image Of The Pope That Fooled The World,” Chris Stokel-Walker, BuzzFeed, March 28, 2023

2 “A Journalist Believes He Was Banned From Midjourney After His AI Images Of Donald Trump Getting Arrested Went Viral,” Chris Stokel-Walker, BuzzFeed, March 23, 2023

3 “Elon’s Crumbling Empire and Generative A.I. Goes to Court,” Hard Fork（The New York Times podcast） Jan.20, 2023

4 “Can We No Longer Believe Anything We See?” Tiffany Hsu and Steven Lee Myers, The New York Times, April 8, 2023

5 “A.I.-Generated Art Is Already Transforming Creative Work” Kevin Roose,The New York Times,Oct.21,2022

6 “Open AI Is Faulted by Media for Using Articles to Train ChatGPT,” Gerry Smith, Bloomberg News, Feb. 16, 2023

7 “Publishers Worry A.I. Chatbots Will Cut Readership,” Katie Robertson,The New York Times, March 30, 2023

第７章　生成ＡＩが突きつける「創造性」の本質
──ＡＩの作品を私達は本当に愛せるのか？

生成ＡＩの作品に知的財産権は認められるのか？

ここまで主に紹介してきたのは、もともとアーティストやジャーナリストらが創り出した絵画やイラスト、写真、記事などのデータを大量に機械学習して各種コンテンツを生成するＡＩが、それらオリジナル作品の著作権を適切に扱っているかどうか、という問題だ。

この問題は今後、少なくとも画像生成ＡＩについては司法の場で争われる可能性が高い。いずれは現行法では対処しきれなくなって、新たな法律の制定が必要になるかもしれない。

一方、それとは逆のケースも強い関心を集めている。つまり「生成ＡＩを使って製作した作品に著作権は認められるのか？」ということだ。

この点について物議をかもした出来事があった。

２０２２年の夏、米国のコロラド州で開催された地場祭典・品評会「Colorado State Fair（コロラド州立博覧会）」のデジタル・アート部門で、画像生成ＡＩによって製作された作品が賞金３００ドル（約４万円）の優秀賞を受賞した。

フランス語で「Théâtre D'opéra Spatial（スペースオペラ劇場）」と命名された同作品は、コロラド州在住のジェイソン・アレンがMidjourneyを使って製作したもので、確かにスペースオペラ風の、かなり手の込んだ細密画である（スペースオペラはＳＦの一ジャンルで、たとえば「スター・ウォーズ」のような宇宙を舞台にした大活劇のこと）。

彼の職業はゲーム制作会社の経営者であり、プロの画家ではない。しかし、ふとしたきっかけでMidjourneyを使い始め、それが描き出す画像の新奇性に魅せられたという。以来、何百点もの画像をＡＩで製作するうちに、どんどん腕が上がっていった。そのうちの１枚をプリントアウトして上記展示会に出品したところ入賞にこぎ着けたというわけだ。

アレンは展示会に作品を出品する際、「ＡＩで製作した」ということを主催者側に包み隠さず伝えたという。つまり展示会の審査員も、それと知った上で賞を授与したことになる。

しかし、この一件がソーシャル・メディア等を通じて世間に知れ渡ると激しい論争が巻き起こった。ツイッター上には「今、我々が目にしているのは芸術の死だ」「ぞっとする。こんなものを作っただけで自分を芸術家だと思うな」など手厳しい意見が寄せられた。

その一方で、アレンの行為を擁護する見解も聞かれた。Midjourneyのような画像生成AIを使って作品を製作することは、（アドビの）「イラストレーター」や「フォトショップ」のような画像編集ツールを使って製作することと本質的に同じだというのだ。

「画像編集ツールではマウスやキーボード、ペンタブレットなどを使うが、画像生成AIではそれが人間の言葉に置き換わっただけ。真の芸術性はそれらの操作によって表現される作品自体にある」というわけだ。

ちなみにアレンはMidjourneyで「Théâtre D'opéra Spatial」を製作する際に、どのような言葉の組み合わせ（呪文）でそれをリクエストしたかを明らかにしていない。また仮にそれが明らかにされ、それとまったく同じ「呪文」でリクエストしたとしても、まったく同じ作品ができあがるとは限らない。MidjourneyのようなＡＩはある種の確率的なプロセスに従って画像を描き出すので、その作品には偶然性がつきまとうのである。

この一件では著作権という法的側面はさておき、画像生成ＡＩで製作したアート作品が賞を獲得したことで、こうした作品あるいは作者にも何らかの経済的価値や権利が認められる先行事例となった。

米国著作権局の判断は？

それから間もなく、やはり米国でクリス・カシュタノヴァという人物がMidjourneyを使って創作した「Zarya of the Dawn（夜明けのザリヤ）」という作品が論争の的となった。ちなみにカシュタノヴァはその肖像写真から判断する限り女性のように見えるが、自身は性別による分類を拒んでいるのか、Mr. あるいはMs. のいずれでもなくMx. という中性の敬称で呼ばれることを求めている。

「Zarya of the Dawn」は全体がわずか18ページという短編コミック・ブックだ。日本語では恐らく「劇画」とでも呼ぶべき形式だろう。内容的には、ニューヨークに住むザリヤという若い女性がある朝、突如として記憶喪失に陥るところから始まるＳＦ作品だ。

２０２２年9月、カシュタノヴァは「Zarya of the Dawn」に対する著作権の保護を米国の著作権局（Copyright Office）に申請した。それは一旦認められたが、後にその作品に掲載された画像がMidjourneyを使って製作されたことを知った著作権局は、２０２３年１月末に改めて同作品に著作権を認めるべきかどうかの審査を開始した。

当時、カシュタノヴァに対する風当たりはかなり強かったようだ。

従来、絵筆やパレットのような画材、あるいはイラストレーターのような編集ソフトを使って、何時間も仕事机に向かって背中を丸めてコツコツと作品を創り上げてきたアーティストらにとって、いくつかの言葉の組み合わせ（呪文）で指示を出すだけで簡単に劇画を出力してしまう画像生成ＡＩは許せない存在として映ったようだ。ましてや、それに著作権が認められるとなれば火に油を注ぐようなものだ。

ただ、この種のＡＩを使って作品を創り出そうとする新種のアーティストにも言い分はある。つまり「画像生成ＡＩを使って作品を生み出すのは、それほど簡単なことではない」ということだ。

「Zarya of the Dawn」には、夕日を背にしたニューヨークの摩天楼のように印象的な光景がいくつも劇画として描かれている。カシュタノヴァによれば、これらのシーンを

Midojourneyで描くためには、たとえば「New York Skyline forest punk. Crepuscular rays. Epic scene（ニューヨークのスカイラインを森林調のパンク画風で。薄暮の光線。壮大な光景）」など、かなり凝った言い回しの呪文を入力してやる必要があるという[1]。

これらの呪文は、そう簡単に頭のなかから湧き出てくるものではない。最終的にアーティストが満足できる画像を生成するまでには、何度も試行錯誤しながら異なる呪文をＡＩに入れてやらねばならない。カシュタノヴァによれば、「Zarya of the Dawn」の画像を作成するには、劇画の各コマごとに数百回の試行錯誤を繰り返したという。

これだけの努力とそれなりの技能の結果として生まれた作品である以上、一種の芸術作品として認められるべきだし、著作権が与えられて然るべきではないかというのだ。

これらの主張を著作権局に伝えるためにカシュタノヴァは弁護士を雇ったが、その費用はMidjournryが負担した。つまり画像生成ＡＩの開発者側でも、自分達の技術が新しい芸術の手段として認められることを求めているのだ。

それから約１か月後の２０２３年２月下旬、米国の著作権局は「Zarya of the Dawn」の審査結果を明らかにした。それによれば、この作品自体の著作権は認められるが、そこに掲載されている各コマの画像の著作権は認められないという。

いわゆる玉虫色の審査結果にも見えるが、肝心のMidjourneyで製作された画像については著作権が明確に否定されたことになり、どちらかと言えば生成ＡＩ側の敗北という見方が妥当であろう。

なぜ、このような結果に終わったのか？

著作権局によれば、主な理由はMidjourneyが画像を生成するプロセスの偶然性にあるという。

これら画像生成ＡＩは（前述の）拡散モデルのような大量のノイズを処理する確率的なプロセスに従って画像を描き出す以上、そこには偶然性がつきまとう。つまりMidjourneyに同じ呪文を入力しても、必ずしも同じ画像が出力されるとは限らない。

別の言い方をすれば、アーティストは画像生成ＡＩを完全に制御しているわけではなく、むしろそうしたＡＩがある種恣意的に画像を出力している。従って、それらの画像の著作権をアーティストに与えるわけにはいかないというのだ。いや、この場合、厳密には「アーティスト」というより、画像生成ＡＩの「ユーザー」という位置付けになるのだろう。

今回の審査結果は恐らく画像系だけではなく、テキスト系の生成ＡＩに対しても影響を与えるはずだ。両者とも確率的なプロセスに従ってコンテンツを出力している点は同じであるからだ。ChatGPTが登場して以来、これを使って小説や詩などを書く試みが世界中に広がっているが、仮に今回の著作権局の考え方がこれらにも適用されるとすれば、同じくAI製のテキスト作品にも著作権は認められないことになる。

しかし、実際にはそう簡単に決着しそうもない。なぜなら中間的なケースというものが想定されるからだ。

今回の「Zarya of the Dawn」の場合、その画像は完全にMidjourneyによって描かれた。だから著作権局は前述のように明快な裁定を下すことができたのだ。

しかし1つの画像をアーティストとAIが分担して描くケースもあり得るだろう。あるいはAIが描いた一部画像をアーティストが若干修正したり部分的に消去したり、逆に描き足したりしながら、言わば両者の作業が混交とした複雑な描き方で1枚の映像作品を仕上げた場合、その著作権はどうなるのだろうか。

小説や詩のようなテキスト作品についても同様の疑問が湧いてくる。

たとえば作家が最初に小説のプロット（粗筋）を考え、これをChatGPTに入力して「短編小説にして」とリクエストする。それによって出力された文章のなかで作家が気に入った部分だけを残して、あとは文章を削ったり、修正したり、書き足したりしていく。その途中でもChatGPTを時々使いながら作品を仕上げた場合、その著作権は作家に与えられるのか。

仮に画家や漫画家、作家らが、そのようなことをしても「黙っていればバレないだろう」という考え方もあるだろう。

しかし、そのように隠れてＡＩを使うのは本来あるべき姿ではなかろう。どうせやるなら公明正大に生成ＡＩを新たな創作ツールとして活用していくべきだ。そのためにも著作権など周辺環境の整備が必要となるだろう。ここでも司法当局による適切な判断、いずれは議会による新たな法律の制定が必要となってくるかもしれない。

ＳＦ雑誌にChatGPT作品の応募が殺到

ここまで見てきたように、ChatGPTなど生成ＡＩの登場によってアーティストやクリエーター、ひいてはコンテンツ産業やメディアなどは翻弄されつつある。

その影響が目に見えて現れている現場もある。米国では２０２３年に入ってＳＦ雑誌の編集部にChatGPTを使って書かれたと見られる作品が大量に投稿され、編集者らの頭痛の種となった。

その1つである「クラークスワールド（Clarkesworld）」は同年2月、ChatGPT製の作品が余りにも大量に投稿されたため編集者が対応できなくなり、やむなく投稿の受付を一時的に停止した。つまりＡＩだけでなく人間の作家が書いた作品の投稿も受け付けなくなったのだ。

２００６年10月に創刊されたクラークスワールドは米国でも有名なＳＦ・ファンタジー系のオンライン雑誌だ。これまでに掲載作品を通じて、著名なＳＦ文学賞である「ヒューゴー賞」の受賞者を何人も輩出してきた。

同誌では２０２２年までチャットボット製の作品の投稿は月に数本程度だったが、ChatGPTが登場して以降の２０２３年2月には最初の３週間で約５００本に達した。[2] これは投稿作品全体（約１２００本）の約4割を占める。

同誌の編集者、ニール・クラークによれば、ChatGPT製の作品は一目見ればわかるような明らかな特徴があることから判別は容易だという。ただ、あまりにも急激に増加してしまったので対処しきれなくなり、やむなく投稿受付の停止という事態に追い込まれた。

「気が滅入った。新しい作品を受け付けられないと革新や変化は生まれない。同業者のなかには『もう作品の公募はしない』という編集者もいる。そうやって扉が閉まっていく度に、業界全体が打撃を受ける」とクラークは語っている。[3]

そのきっかけはユーチューブやティックトックなどのソーシャル・メディアで、ChatGPTを使って小説を書くなど副業の仕方が紹介されたことだという。これを見た多くの人達が、手っ取り早くお金を儲けるためにChatGPT作品をＳＦ雑誌に投稿し始めたのだ。ちなみにクラークスワールドが掲載作品に支払う原稿料は１ワード（単語）当たり12セント。作品１本当たりの文章量が平均１万５０００ワードと仮定すると、実際に投稿作品が雑誌に掲載されれば、それには１８００ドル（約24万円）の原稿料が支払われることになる。他のＳＦ雑誌もほぼ同様のレートだ。ChatGPTなら簡単に幾らでも文章を書くことができるから、手っ取り早くお金を儲けたい人達にとっては魅力的な副業に見えるのだろう。

他のＳＦ雑誌でも同じようにChatGPT製の作品が大量に投稿されているが、これらの雑誌の編集者によれば、それらの作品は「超平凡（super pedestrian）」が一種の特徴であるという。「冒頭の一文を読み終わるまでもない」と、ある編集者は語っている。とにかく一目見ただけで「つまらない」と感じてしまうらしい。

ChatGPTはどれくらいのレベルの小説を書けるのか

それらの作品をこの目で見たわけではないが、実際はどうなのだろうか？試しに筆者が特定のテーマを挙げてChatGPT（当初のGPT-3.5版）に小説を書かせてみたところ、次のような結果となった。

MA

気候変動をテーマにした小説を書いてください

「未来からの警告」

世界は暑さと乾燥に見舞われ、水不足は日常的なものになっていた。科学者たちは、地球温暖化が原因であることを証明し、人類が温室効果ガスの排出を減らすことが不可欠であると警告した。

ジェニファーは、環境保護活動家であり、地球温暖化の影響を受ける地域を訪れ、問題を取材していた。

彼女は、工業化が進んだ国と農村地域で、水不足や干ばつによる農業の困難を目の当たりにした。

ジェニファーは、政治家たちに対しても問題を訴え、地球温暖化に対する対策を講じるよう求めたが、彼女の訴えは無視されるばかりだった。だがジェニファーはあきらめなかった、彼女は科学者たちと協力し、新しい温室効果ガスの削減技術を開発することに成功した。

ジェニファーの技術は、世界中の企業や政府に採用され、大気中の温室効果ガスの濃度は減少し始めた。彼女は、自分が夢見た未来を実現することができ、地球を子孫たちに温かく、美しい星として残すことができると喜んだ。


これを見る限り、ChatGPTが出力した内容は登場人物の人物像や心理、それら人物達が繰り広げる多様な展開等を丹念に描写する「小説」というより、その骨組みとなる「プロット（粗筋）」の段階にとどまっている。「気候変動」以外のテーマも与えて書かせてみたが結果はほぼ同様だった。

もちろんプロンプトをもっと工夫すれば、多少マシな作品が出力されると聞くが恐らく大差はないだろう。

ただ、同じテキスト・コンテンツでも、たとえば「気候変動問題の現状をまとめてください」というリクエストを出すと、比較的高水準のレポートができあがる。この種の報告書はウェブ上でかき集めた情報を手際よく整理するだけでいいからだ。もちろん場合によっては情報の分析や評価まで求められることもあるが、それもある程度までなら現在のChatGPTでも何とかこなせる。

これに対し、小説のように情報収集よりも想像力や創造性が求められる作品は未だ難しそうだ。

もっとも本来ならChatGPTに執筆を丸投げするのではなく、むしろ人間がこれを一種のツールとして使いこなして創作に取り組むべきであろう。こうした対話型ＡＩを提供するOpenAIやグーグルなどＩＴ企業でも、それが本来の姿であると述べている。

そこで筆者が実際にChatGPTを使ってフィクションを書いてみることにした。ただし、これまで小説など書いたことがない素人だ。仮に写実的な現代小説を書くとなると、綿密な人物、心理、情景描写などが求められるが、筆者にそのような筆力は備わっていないし、恐らくChatGPTも同様であろう。

そこでいくつかの案を検討した末に、古代インドの王朝を舞台にフォークロア（民間伝承）風の怪奇小説を書いてみることにした。これなら日本の「浦島太郎」やドイツの「白雪姫」のような言わば御伽話《おとぎばなし》であるから、微に入り細を穿つような描写は求められまい。

このような前提のもとで実験を開始した。まず冒頭の一文を筆者が自分で考えてみた。「古代インド・マウリア朝の王子が妻を娶るに際し、王宮に召された巫女が次のような託宣を王子に下した」という書き出しだ。これをChatGPTに入力し、その続きを書くよう促した。すると次のような結果となった。

MA

古代インド・マウリア朝の王子が妻を娶るに際し、王宮に召された巫女が次のような託宣を王子に下した。で始まる怪奇小説を書いてください

古代インド・マウリア朝の王子が妻を娶るに際し、王宮に召された巫女が次のような託宣を王子に下した。

「王子よ、今ここに立つあなたは、神聖なる王位を継承することになります。

その王位には、美しい妻が必要です。しかし、私はあなたに警告する。王宮に

は、深い闇が潜んでいます。その闇を照らすのは、あなたが選ぶ妻だけです。選ぶのは自由ですが、責任はあなたにあります。神よりも深い闇があるかもしれません。それは、あなたが選ぶ妻が持つものです。王子よ、慎重に考えてください。そして、自分自身を信じて、正しい選択をしてください。」

王子は巫女の託宣を聞いて、眉を寄せた。彼はその意味を理解していなかった。しかし、彼は巫女の命令に従い、王宮の女性たちの中から自分の妻を選ぶことにした。

王子は、王宮の女性たちの中から、美しい妻を選ぶことにした。彼は、王宮の女性たちの中から、美しい妻を選ぶことにした。

（なぜか同じ文章が繰り返されるが、以下略）


このようにしてChatGPT（当初のGPT-3.5版）から出力された文章は筆者の要求水準に達していなかったので、それは放っておいて再び冒頭の一文をChatGPTに入力して続きを書くように促した。ChatGPTは確率的なプロセスに従ってランダムに文章を作り出すので、たとえ同じリクエストでも異なる回答が返ってくるケースが多いからだ。

しかし残念ながら、この作業を何度繰り返しても、ほぼ同様の結果しか得られなかった。結局、「巫女の託宣」は筆者が自力で書くことにした。それ以降もしばらくは筆者が書き進め、アイディアに詰まるとその直前の部分をChatGPTに入力して「この続きを書いてください」とリクエストした。

ChatGPTから出力される文章は、往々にして稚拙、あるいは支離滅裂であったりもしたが、なかには使えそうな文章も散見されたので、その部分はありがたく拝借する、あるいはそれらをヒントにどんどん書き進めていき、一応最後まで辿り着いた。以下がその結果である。

タイトル：変身

作：小林雅一 with ChatGPT

古代インド・マウリア朝の王子が妻を娶るに際し、王宮に召された巫女（みこ）が次のような託宣を王子に下した。

「殿下の妃（きさき）となられる方は、昼と夜を境に薔薇にも勝るほどの美女とカラスも目を背けるような醜女の間で容姿が反転します。昼間、殿下が妃を伴って王宮のバルコニーから民衆の前に現れるときに妃が美女となるか、それとも夜、殿下と妃が褥（しとね）で交わるときにそうなるか。どちらを選ぶかお決めください」

王子は、巫女から与えられた託宣を聞いて、一瞬たじろいだ。民衆の前で美しい妻を選ぶことは理にかなっているが、そうすれば夜、褥で彼女と交わる時に醜くなってしまう。逆に夜に美しい妻を求めることは自然な欲求だが、そうすれば王宮から民の前に現れる際に醜くなってしまう。

王子は、深く考えること数日。結局は夜に美しくなる妻を求めることを選んだ。王宮から民の前に現れる際には、妃の顔をベールで隠しておけば済むからだ。また、そのように隠せば、むしろ民の想像力はかき立てられ、妃の美しさが口伝えで天下に知れ渡るというもの。このようにして王子は自らの面目を保つと同時に、美しい妃との夜の生活を享受したのであった。

ところが、ある日、バルコニーで突風が妃のベールを吹き飛ばし、その顔が民衆の前に晒されてしまった。妃は慌てて手で顔を隠そうとしたが、すでに人々の視線が彼女に注がれていた。それまで彼女の美しさは伝説のように噂されていたのに、その正反対であることが明らかになったことは、まさかの事態であった。

その瞬間、王子は怒りを爆発させ、衛兵に命じてバルコニーから妃を引きずり降ろした。彼女は悲痛な叫びをあげて許しを乞うたが、王子は冷たく無視した。

この日を境に妃は後宮の奥深くに幽閉されたが、夜になるとその美しさを忘れられぬ王子は度々、そこを訪れると物も言わずにしたいことだけをして立ち去っていくのであった。

「私は遊女と変わりがないではありませんか」と妃は泣き崩れ、悲しみと絶望に打ちひしがれた。

このようにして長い歳月が流れた。その間に王が崩御して王子は新しい王に即位し、妃は王妃になった。２人の間には女の子が生まれた。この姫はすくすくと成長し、近隣の国々にも評判が轟（とどろ）くほどの美貌を誇った。彼女は昼も夜も美しかったが、その代わりに性格が反転した。昼は女神のように清く優しく、夜は悪魔のようにずるく残忍になるのであった。

一方、王妃には復讐の念が芽生えた。ある晩、彼女は王が後宮を立ち去った後、自分を取り囲む侍女達に告げた。「王に復讐したいのです」

日頃、王妃がどれほど辛く恥辱にまみれた日々を送ってきたかを承知している侍女達は、王妃が恨みを晴らすのを助けることを決意した。彼女達は秘密裏に計画を立て、王が宴会を開く日を探り出した。

その日、王は近隣の某国から訪れた派遣団を招いて盛大に宴会を開いた。侍女達はこの機会を狙い、王に毒を盛った酒をついだ。王は酒を飲み干し、そのまま眠りこけると、夢の途中で死んでしまった。

王妃と侍女達は王の死を喜んだが、困ったことになったとも思った。王と王妃の間には1人の王女しか残されなかったが、昼夜で性格が反転してしまう彼女が女王に即位することには不安が残ったからだ。

「どうしたものか」昼間、ベールに顔を隠した王妃は家臣達に相談した。

「ひとまずお妃様が女王に即位されてはいかがでしょう」と家臣の1人が進言した。

「私は王家の血筋ではない」

「となると、やはり姫様に即位して頂くしか……」

「姫は二重人格ではないか」

「では巫女を呼んで託宣を聞くしかございません」

そこで、あの巫女が再び王宮に召されたのであった。王妃と家臣らから話を聞いた巫女は次のように述べた。

「王妃様が女王として即位することは天命に反することです。姫様に女王になって頂くより他に道はございませんが、政（まつりごと）には向かないでしょう。この国を救う唯一の方法は、姫様に近隣の王国より賢い婿をとり、そのお方に政の実権を委ねることとです」

摩訶不思議な託宣というよりは、まことに理に適った助言であった。王妃と家臣達は深く頷いた。

早速、使者が近隣諸国に派遣され、そのうちの一国から三男坊の王子が婿として迎え入れられた。盛大な結婚式が催されたが、姫は終始悲しそうであった。王子は明敏な頭脳の持ち主ではあったが、姫の好みのタイプではなかったからだ。

こうして婿をとり女王となった姫は実権を婿に託して、昼間は甲斐甲斐しくこの男に尽くした。ところが夜になると彼女は豹変し、悪魔のように夫をいたぶるのであった。

「私はお前のような男は好かぬ」そう言って女王は夫を激しく鞭打った。王宮の夜空に婿の悲鳴が響き渡る夜が続いた。しかし朝の光が窓から差し込むと女王はまたも豹変。我に返った彼女は目の前で血まみれに横たわっている夫と、自らが握った鞭を見つめて、こう叫んだ。「なんということでしょう！　これは本当に私がやったことなの？　いいえ、これは千の闇に潜む悪魔の仕業なのです」

かつての王妃、今の太后は婿に深く同情するとともにこの状況を憂いた。

「いかに賢い婿殿とはいえ、夜にあれだけ鞭打たれては昼間の政にも差し支えよう。どうしたものか」と太后は家臣達に助言を求めた。

「太后様が夜、女王様の鞭打ちをお止めに入ってはいかがでしょうか。いかに残酷な女王様とはいえ、お母上の説得を聞き入れないわけには参りますまい」

「それしかありませんね」しばらく考えた後で太后は呟くように言った。

その数日後、王宮の夜空を切り裂くような婿の悲鳴が再び響き渡った。太后が女王の部屋に駆け込むと、目の前には鞭を持って激しく喘ぐ女王と、床に横たわって虫の息となった婿がいた。

「お止めなさい」と太后は娘に叫んだ。

齢（よわい）を重ねたとはいえ、夜の太后は相変わらず輝くような美貌であった。女王は手に持った鞭を床に投げ出すと、母の美しさに見とれた。それと同時に激しい嫉妬の感情にも襲われた。夜の邪悪な女王は自分よりも美しい者の存在に我慢できないのであった。たとえそれが自らの母親であったとしても。

女王は床に落とした鞭を再び手に取ると、いきなり目の前の太后に襲いかかった。太后は鞭の一撃から逃れようと、何とか身をかわしたが恐怖に慄（おのの）いた。「お止めなさい。貴方は自分が何をしているか、わかっているのですか」「母上こそ、ご自分が何をなされたかおわかりですか。貴方がかつて侍女達と謀って父上を殺したことを、私が知らないとでも思っていたのですか」

太后はその場で泣き崩れた。「いかに憎しみを募らせた男とはいえ、自分はこの子の父親を殺したのだ」と。

娘の脚にすがって太后は許しを乞うた。そのとき王宮の窓から朝日が差し込み、鳥のさえずりが聞こえてきた。すると悪魔のような女王は天使のような優しさを取り戻し、輝くような太后の美貌は萎びるように衰えた。奇跡に打たれた女王はその姿を見つめ、自らの運命に思いをめぐらせた。

おしまい

今回の実験を通じて、ChatGPTはかなり創作の助けになると感じた。どこかで書き手の筆が止まったとき、その先へと進ませるヒントを与えてくれるからだ。

この作品では、王妃が王への復讐を思い立って侍女達が王に毒を盛るところや、女王の部屋に駆け込んだ太后に女王が襲いかかるくだり等はChatGPTの助言に従った。それ以外にもChatGPTが出力した文章をそのまま使ったケースは何か所かある。

いずれもそれほど奇抜なアイディアではないが、少なくとも行き詰まった話を前進させる上では何らかのヒントになるように思えた。そのベースにあるのは、大規模言語モデルに蓄えられた膨大な史実やエピソードである。

大きなお世話かもしれないが、プロの小説家でもいわゆる「ライターズブロック」などと呼ばれるスランプに陥ったときは、今後ChatGPTのようなＡＩが助けになってくれるかもしれない。もちろんChatGPTには誤った情報や「幻覚」などを出力する危険性もあるが、フィクションであればそれほど深刻な問題にはなるまい。

生成ＡＩが問い直す芸術作品の価値

前述のように、先程の小作品を書く際に使ったChatGPTは当初のＧＰＴ-3.5をベースとしていた。その後、ＧＰＴ-４へとバージョンアップされたので、実力がどこまで向上したかを見るためにまったく同じ冒頭の文章を入力してみた。すると次のような結果となった。

Model: GPT-4

MA

古代インド・マウリア朝の王子が妻を娶るに際して、王宮に召された巫女が次のような託宣を王子に下した。で始まる怪奇小説を書いてください

古代インド・マウリア朝の王子が妻を娶るに際して、王宮に召された巫女が次

のような託宣を王子に下した。「あなたの結婚は、黒い翼を持つ予言の鳥によって、破滅と再生の時代が訪れることを告げている。あなたは、闇の中で輝く希望の光とならねばならない。」

その言葉が示す意味を理解できないまま、王子は美しい花嫁アヴァンティカと結婚した。彼女は見目麗しいだけでなく、心優しく知性にも恵まれていた。2人は互いに心を通わせ、国の民に尊敬されるような統治を行っていた。

ある夜、王子は不穏な夢にうなされた。夢の中で、巨大な黒い翼を持つ鳥が現れ、王宮を闇に包み込んでいた。王子は目を覚まし、恐ろしい予感に取り付かれる。

翌日、国の北の果てで奇怪な出来事が起こったという報告が入った。巨大な黒い翼を持つ鳥が空を覆い、村々を破壊しているというのだ。王子は巫女の言葉を思い出し、破滅の時代が訪れたことを悟った。

王子はアヴァンティカとともに、黒い翼を持つ鳥と戦う決意を固める。彼らは古代の文献を調べ、鳥を封印するための秘密の呪文を見つけた。しかし、その呪文を唱えるには、闇の中で輝く希望の光を持つ者が必要であった。

王子とアヴァンティカは、希望の光を求めて旅を続けた。途中、数々の困難や怪奇現象に遭遇したが、2人の愛と信頼は揺るがなかった。遥かな旅の果てに、ついに希望の光となる神秘の宝石を発見した。

GPT-4が出力した文章を読んでみると、確かに以前のGPT-3.5のときと比べて文章の質感が向上したように見える。語彙はそれほど豊富というわけではないが、言葉遣いがやや文学的になり品格も出てきたように感じられる。

ただ、プロの小説家やその読者達も認めるような本物の文学作品となるには、何かが決定的に欠けているように筆者には思えてならない。それが何なのかは一言では言えない。たとえば通俗的なビデオゲームやアニメのシナリオなどをネット上から掻き集めてきて、それらを適当にブレンドして平均値をとったようなストーリー。これがGPT-4の紡ぎ出した文章に対する筆者の率直な感想だ。このままでは恐らく人間の読者を楽しませたり、感動させることはできないだろう。

前にも紹介したようにGPT-4のパラメーター数は公開されていないが、それでもG

PT-3.5に比べて大幅に増加していることは間違いなかろう。また、機械学習用に利用したテキスト・データなどの量も、やはり著しく増しているはずだ。

つまり技術的な面からは、同じお題を与えればGPT-4のほうが圧倒的に優れた作品を出力するはずだ。しかし実際には、どうもそうではないような気がするのだ。

もちろん小説のような芸術作品の評価は主観的な要素が強く影響してくるから、筆者とは異なる評価をする人も少なくないかもしれない。しかし、まさにそこが重要なポイントではないかと考えられるのだ。

つまり小説のような芸術作品を私達が評価する場合、その作品が「優れているかどうか」が問題なのだろうか？　それともその作品を主観的に「好きになれるかどうか」が問題なのだろうか？　仮に前者であると仮定した場合、ある芸術作品が「優れている」というのは一体どういう意味なのだろうか？

正直に言うと、筆者は「芸術論」や「哲学」などの分野では素人だ。これらの専門分野では、恐らく筆者が今投げかけたような問いはとうの昔に取り上げられ、結論は出ないままでも、ある程度踏み込んだ議論がなされてきたであろう。

筆者の問い掛けは、言わば人生経験や見識の浅い小・中学生が発するような幼い質問かもしれない。しかし「ＡＩ」という新たな存在が小説や絵画のような芸術作品を生み出し始めた今、そのような素朴な質問を「誰もが」改めて考え直してみる必要が出てきたのではないだろうか。

音楽生成ＡＩの現状

ここで、これまでの動きを簡単に整理しておこう。

最近の新たなＡＩブームでは、まず２０２２年の春頃からDALL-E 2やStable Diffusionなど画像を生成する人工知能が注目を浴びた。それらの多くは無料で使えることから、多くのアート愛好家らが「呪文」と呼ばれるキーワードを巧みに組み合わせることによって、玄人はだしのイラストや絵画などを描き出して楽しんだ。一方、プロのアーティストからは著作権の侵害や自らの職業が脅かされることへの懸念の声が高まっている。

それから間もなく、今度はテキストを生成するChatGPTが世界的な関心を集め、先行していた画像系とともに生成ＡＩの一大ブームが巻き起こった。

ここで抜け落ちているのが、「音楽」と「動画」に関する生成ＡＩの動向だ。これらは今、どうなっているのだろうか？

まず音楽については、かなり以前から楽曲を自動生成するＡＩが存在し、主にプロのミュージシャンの間で使われてきた。

たとえば２０１４年にニューヨークで設立されたAmper Music社が２０１６年頃にリリースした「**Amper Music（アンパー・ミュージック）**」（社名と同じ製品）、また２０１６年にルクセンブルクに設立されたAIVA Technologiesが同じ頃にリリースした「**ＡＩＶＡ（Artificial Intelligence Virtual Assistant：アイヴァ）**」、さらに米OpenAIが２０２０年にリリースした「**Jukebox**」などが今も世界的に利用されている。

日本でもスタートアップ企業の「**Amadeus Code（アマデウス・コード）**」が２０１８年頃にリリースした（社名と同名の）製品などが、自動作曲用のＡＩソフトとしてよく使われている。

ただ、これらは現在の画像・テキスト生成ＡＩなどとは異なり、簡単な言葉で作曲の指示を出せるといった類のＡＩではない。

いずれの自動作曲ＡＩも所定のウェブサイトにユーザーがアクセスし、そこから作ろうとする楽曲の「ジャンル」「テンポ」「曲の長さ」「曲調（メジャー、マイナーなど）」、「使われる楽器」などのパラメーター（要素）を指定するとＡＩが自動的に作曲してくれる（ここでのパラメーターは、ニューラルネットの開発者が口にするパラメーターとは違う意味である）。

ただし、これで完成ではなく、ＡＩによって生成された音楽をユーザーが試聴し、必要に応じて編集やアレンジを加える必要がある。このための機能も各社のＡＩソフトに備わっている。

つまり、これらＡＩ製品のユーザーは実際のところ「一般人」というよりも「プロの音楽制作者」が大半である。そうでなければ、この種の作業はかなり難しいだろう。

「プロのミュージシャンなら何もＡＩを使う必要はないだろう。自分で作曲すればいいじゃないか」と思われるかもしれないが、プロの作曲家やプロデューサーでもあえてＡＩを使うことで新しい楽曲のアイディアやインスピレーションを得たり、音楽制作を効率化して比較的短期間で大量の作品を送り出せるというメリットがある。

これらＡＩ製品では無料と有料の両プランが用意されているが、無料プランでは使える機能に制限がかけられるのに対し、有料のプレミアム・プランではより高品質の音楽を製作するための追加機能などが提供される。いずれのＡＩ製品も月額数十ドル程度の料金で使える。

これらのＡＩが使われるのは、主に映画、テレビ番組、ビデオゲーム、広告などの業界だ。これらさまざまなコンテンツの効果音やＢＧＭなどの制作にＡＩは最適とされる。あるいはホテルのロビーやレストランなどで流されるＢＧＭなどにも、こうしたＡＩが使われているらしい。要するに、私達が知らない間に日常生活にある程度まで浸透しているようだ。

一方で、（前述の）ルクセンブルクのＡＩＶＡなど、この分野の先頭を走る企業のＡＩ製品は本格的なシンフォニー（交響曲）を作曲する段階にまで達している。

コロナ禍の最中となる２０２０年５月にオンラインで開催された半導体メーカー、エヌビディアの年次カンファレンスでは、ＡＩＶＡが作曲した「I am AI」という作品が会議のテーマ曲に採用された。筆者もユーチューブから聴いてみたが、音楽の素人なりの感想を言わせてもらえれば、この作品はシンフォニーだが純粋なクラシックというよりはポップ・ミュージックに若干近い印象がある。いずれにせよあらかじめＡＩ製ということを知らなければ、人間の作曲家やプロデューサーが生み出した作品だと思っていただろう。それほどまでに違いがわからなくなってきている。

また、改めて断るまでもなく、いずれの自動作曲ＡＩもあらかじめ多種多彩な音楽データを大量に機械学習することによって開発された。

これらの学習データは、電子楽器やコンピュータなどの間で音楽データをやり取りするための規格「ＭＩＤＩ」に従うケースが多い。ＭＩＤＩは楽曲の構造や楽器別の音符情報などからなるデータだ。インターネット上には、さまざまな時代やジャンルのＭＩＤＩファイルが無料で利用できるデータベースが多数存在し、自動作曲ＡＩにとって格好の教材となっている。

他にもＡＩ研究者や企業などが作成した音楽データセット、あるいはオーディオ・ファイルなどの音源データがＡＩの学習用データとして使われることもある。

では、これらの自動作曲ＡＩに対するプロの音楽家の反応はどうなっているだろうか？

一部のミュージシャンは「ＡＩが作曲のインスピレーションを与えてくれたり、音楽制作の効率性を高めてくれたりする」などとして肯定的に捉えている。こうしたアーティストらは自身がまさに自動作曲ＡＩのユーザーでもあるのだろう。

しかし他方で、「ＡＩは人間の作曲家やミュージシャンならではの感性や芸術性などに匹敵する能力は持てない」と否定的に見る人達もいる。

またＡＩが音楽制作を容易にすることで、人間の創造性や音楽制作のスキルが低下することを懸念する向きもあるようだ。

ただ、現在のStable Diffusionなど画像生成ＡＩに対する一部の漫画家やイラストレーター達からの激しい反発のような現象は見られない。その主な理由は、少なくとも最近までの自動作曲ＡＩは画像生成ＡＩのように誰もが簡単に使えるツールではなかったことにある。このため、仮にそれがプロのミュージシャンに何らかの被害をもたらすとしても、その規模や程度は限定的な範囲にとどまるからだ。

世界的なミュージシャンになりすましたAI作品が登場

ただ、状況はかなりのスピードで変化しつつある。

２０２３年4月には米国で謎のゴーストライターが何らかの生成ＡＩを使って製作した「Heart on My Sleeve（心をさらけ出す）」という楽曲が、スポティファイやユーチューブなどの主要ストリーミング・サービスから配信されて注目を浴びた。

この楽曲は世界的に有名なミュージシャン「ドレイク」と「ザ・ウィークエンド」の歌

声やリズムなどをＡＩで偽造したものだ。謎のゴーストライターは自らのＳＮＳアカウントに「自分は長年ゴーストライターとして働き、大手レーベルに多額の利益をもたらしたのに給料はなきに等しい。（生成ＡＩの登場で）ついに未来が来た」などと書き込んでいた。ただ、ゴーストライターは「Heart on My Sleeve」をＡＩによる作品と断った上でリリースしたので、ファンの多くは「本物の２人がコラボしているように見せかけたＡＩ製の作品」であることを認識していた。が、それでも本物に似ているので面白がって聞いていたようだ。

これについてドレイクとザ・ウィークエンドは何の声明も出していない。

その後、両者が所属するレーベル「ユニバーサル・ミュージック」からの抗議を受けて、「Heart on My Sleeve」は主要ストリーミング・サービスから削除された。

しかし、それまでの間に、ティックトックやツイッター、インスタグラムなどのＳＮＳにも拡散して数百万回も再生された。もし、そのまま削除されていなければ、本物のドレイクらと並んでヒット・チャートの上位に食い込んでいた可能性もある。

ちなみに、「Heart on My Sleeve」が削除された理由はこの作品がＡＩ製だったためではない。謎のゴーストライターが、このＡＩ作品に著作権で保護された音楽も少々含ませておいたことが著作権侵害に該当したからだ。逆に言えば、現行法ではＡＩで本物のミュージシャンの歌声などを偽造したとしても罪に問えないようだ。

音楽作品の著作権は複雑であるため、生成ＡＩのような画期的技術が登場すると、それに対応する法制度の整備には時間がかかる。音楽業界ではこうした事態を以前からある程度予想していたものの、深刻な頭痛の種が生まれたと捉えている。

その一方で、米国の主要レコード会社は生成ＡＩを開発するＩＴ企業などと水面下で交渉を進め、もしもＡＩの機械学習に所属アーティストの楽曲を使用する場合には著作権料などを支払うことを求めているようだ。

また、今後レコード会社自身が生成ＡＩの開発に乗り出し、いずれは自らが著作権を有する楽曲とＡＩをコラボさせて新種の音楽作品の開拓に乗り出すとの見方もある。

音楽作品も言葉を使って製作できる時代に

そうしたなか、「テキスト」や「画像」に続いて「音楽」も言葉で簡単に作れる時代が訪れようとしている。

２０２３年5月、グーグルは言葉によるリクエストで簡単に楽曲を製作できる音楽生成ＡＩ**「MusicLM（ミュージックＬＭ）」**を限定的に公開した。このＡＩもトランスフォーマー・モデルに基づいている。

MusicLMは全部で28万時間にも及ぶ膨大な音楽データを機械学習することで開発された。学習過程でメロディやリズム、ピッチ（音の高低）、フレーズ構造などのパターンを多数抽出し、それらのパターンを組み合わせて新しい音楽を生成することができる。公式には製品というよりも実験段階のプロジェクトという位置付けだ。

同社の「AI Test Kitchen」というウェブサイトでメールアドレスなどを使ってユーザー登録すると、ウェイティング・リストに載ってテスト利用の承認を待つ形になる。

ただ、たとえ言葉を使ってリクエストできるようになっても、（後述する唯一の例外を除いて）音楽を作り出すのはそう簡単ではない。

画像生成ＡＩであれば、たとえば「チェスを指す猫」「飛行機を操縦するパンダ」のように、言葉で映像を表現、あるいはリクエストするのは比較的容易である。

これに対し音楽の場合、たとえば「そよ風のように爽やかなメロディ」あるいは「潮騒のようにささやく歌声」などと漠然とリクエストしたところで、結果的にどんな作品ができあがるか知れたものではない。

逆に「スローテンポでベースとドラムが主体のレゲエソング。持続的なエレクトリック・ギター、高音域のボンゴが響き渡る音色で演奏。ボーカルはリラックスした雰囲気で、非常に表現豊かな落ち着いた感じが特徴」（グーグルのウェブ・サイトより引用）などと具体的で込み入った指示を出せる一般ユーザーが、この世界にどれほどいるだろうか。

つまり言葉で音楽を表現、あるいはリクエストするのは意外に難しいのだ。

しかし唯一の例外がある。それは、リスナーが自分の好きなアーティストの名前を指定して「誰々さん（の作品）とそっくりの音楽を作って」とリクエストすることだ。筆者は色々な可能性を考えたが、音楽の専門知識を持たない一般ユーザーが音楽生成ＡＩを使うとしたら、このやり方しかないと思う。

しかし、このようなＡＩがまかり間違って世に出てしまえば、プロのミュージシャンや音楽レコード業界が烈火のごとく怒り狂って抗議してくるのは目に見えている。

これを未然に防ぐため、MusicLMでは機械学習に使用されたアーティストの楽曲と酷似した音楽が生成されないような工夫が施されている。また、入力するプロンプトに制限を設けることで、そもそも「誰々さんとそっくりの音楽を作って」といったリクエストを受け付けないように作られているという。ただ、具体的にどのような仕組みによって、それらの保護機能が実現されているかは明らかにされていない。

動画生成AIが生み出す、完璧なフェイクにして究極のエンターテインメント

一方、ビデオなどの動画を生成するＡＩの開発も急ピッチで進んでいる。

前述のDALL-E 2やStable Diffusion、Midjourneyなどは、あくまで「静止画」を生成するＡＩだ。しかし映画やテレビ番組のような「動画」を言葉を使って簡単にリクエストできるようになれば、そのインパクトは計り知れないほど大きいだろう。

メタは２０２２年９月、言葉によるリクエストで動画を生成するＡＩツール「Make-A-Video」を発表した。翌10月にはグーグルも同様のＡＩ「Imagen Video」を発表した。が、両方とも一般ユーザーが使えるような製品化はまだ先のことである。

一方、ニューヨークに本拠を置く「Runway AI（ランウェイＡＩ）」をはじめ数多くのスタートアップ企業もこうした動画生成ＡＩの製品化に向けて競うように開発を進めている。

いずれのＡＩも、動画とキャプション（言葉による説明）がペアになった大量のデータ

を消化して学ぶ必要がある。

２０２３年5月時点でこれらのＡＩが生成したコンテンツを見ると、再生時間はわずか数秒と短く、映像はぼやけて動きもぎくしゃくした不自然な動画である。しかし技術開発のペースはここに来て加速しており、今から数年後には十分視聴に耐え得る動画の製作を簡単な言葉でリクエストできるようになると見られている。

もちろん、そこにはネガティブな影響も指摘されている。

前章の冒頭で紹介した「フランシスコ教皇のフェイク画像」などは、写真のような静止画だったから影響は限定的だった。しかし、これが近い将来にはテレビのニュース番組で報じられるようなビデオ・クリップになり、それを誰もが簡単に作れるようになれば、もはやリアルとフィクション、あるいはリアルとフェイクの境界線が完全に失われてしまう。日頃メディアに接する私達は何を信じていいかわからなくなるだろう。

ハリウッドなど伝統的な映画業界に象徴される、エンターテインメント産業への影響も必至だ。

たとえば中学・高校生らがスマホの自撮り動画を材料に使って「(憧れのアイドルの)誰々さんと自分が主人公の学園恋愛ドラマを作って」とか、中高年の男性が「(１９６０～70

年代に活躍したボクサー）モハメド・アリと（1980年代の）マイク・タイソンのどちらが強いか見てみたいから、全盛期の2人がリング上で対戦するシミュレーション・ビデオを作って」とか何でも自由にリクエストできるようになったら、全人類がこのようなAIサービスにはまってしまうかもしれない。

しかし私達の可処分時間には限りがあるから、映画、テレビ、アニメ、出版、ゲームなどのメディア・コンテンツ産業は生成AIに時間を奪われて大打撃を受ける可能性がある。もちろん、これらの産業が生成AIの技術をうまくビジネスに取り込んでいければ話は別だが。

「USウィークリー・ファクター」と「藤井聡太」が示す未来

そうしたなかで、クリエーター側の懸念も募っている。

ニューヨーク・タイムズによれば、ハリウッドを中心とする米国の映画やテレビ、デジタル・メディアなどの業界で働く脚本家の労働組合「米国脚本家組合（Wrtiers Guild of America）」は2023年4月、映画製作スタジオなど会社側との労使交渉で新たな要求項目を掲げた。[4] それは「ＡＩやその類似技術で製作された素材（脚本や映像など）の使用を規制する」という内容だ。

この理由について、同組合で会社側との交渉を担当する脚本家の１人は次のように語っている。

「次回の労使交渉が開かれるのは２０２６年だが、それまでの間に会社側から『我々には大衆がある程度満足してくれそうな娯楽作品を製作できるＡＩがたくさんあるから君たちはもう要らないよ』と言われる可能性がある（ので、それを未然に防ぐためだ）」

脚本家だけでなく、俳優や声優、さらには映像・音響など技術スタッフらも生成ＡＩに危機感を募らせている。

２０２２年12月、アップルは人間そっくりの声で話すＡＩナレーターを出版社が使用してオーディオ・ブックを製作できるサービスを開始した。これはオーディオ・ブックのナレーションで生計を立てている数百人もの声優を置き換える可能性がある。

またカンフーや空手などのアクションを担当するスタント俳優らも、自分達の特殊技能が生成ＡＩのような新しい技術によって無断で模倣され、それによって役を奪われることを恐れているという。

いずれは主演俳優のようなスター級の人材にもその影響は及ぶかもしれない。

他方で、こうした映画製作スタッフはある要素に自らの望みを託している。それは関係者らが「**USウィークリー・ファクター**（US Weekly factor）」と呼ぶものだ。

USウィークリーは1977年に創刊されたエンタメ系の雑誌で、主にセレブのニュースやゴシップ、ファッション、ライフスタイルや美容などのテーマを扱うことで、未だに米国人の間で根強い人気を誇っている。

要するに「USウィークリー・ファクター」とは、普段テレビ番組や映画などを鑑賞する人達の本当の関心は番組や映画で役を演じる俳優などのセレブ、つまり「生身の人間」に向けられているのではないか、ということだ。逆に言えば、いくら生成AIの技術が発達したところで、それが作り出した映画などのコンテンツに人々はそれほどの関心を示さない可能性がある。

そうした問題提起をより一般化するなら、「生成AIが作り出した映画や音楽、アニメ、漫画、小説などのコンテンツを私達人間は本当に愛せるのか？」ということになるだろう。

いずれの芸術作品も、結局はその背後に私達と同じ喜びや悩みを抱えながら生きているアーティスト、つまり生身の人間がいるから私達はその作品に感情移入できるのではなかろうか。

念のためChatGPTにも聞いてみよう。

Model: GPT-4

MA

私は今、生成AIに関する評論を書いています。人間のアーティストと生成AIが製作する絵画、イラスト、漫画、小説などのコンテンツに関して、次のような結論を出しました。「生成AIが作り出した映画や音楽、アニメ、漫画、小説などのコンテンツを私達人間は本当に愛せるのか？　いずれの芸術作品も、結局はその背後に私と同じ喜びや悩みを抱えながら生きているアーティスト、つまり生身の人間がいるから私達はその作品に感情移入できるのではなかろうか」ただ、この結論は予定調和的で安直かなとも思います。君はどう思う？

あなたの結論は非常に興味深い視点を示していますし、多くの人々が共感すると思います。人間の芸術家が作り出す作品には、その人間の体験や感情、思考が反映されていると感じることで、観る者・読む者が深い共感や共鳴を覚えることがあります。それはAIには欠けていると言えるかもしれません。

しかし、ある種の芸術は、人間の直接的な感情や体験から離れた形でも楽しまれてきました。たとえば抽象芸術や実験音楽、さらには数学的な美しさを追求する形式主義的な芸術などです。これらの作品は、作り手の個々の体験よりも、観念、概念、形式、パターン、構造といった要素を通じて鑑賞者に訴えかけます。AIが生成する作品も、この観点からは楽しむことができるかもしれません。

また、AIが生成した作品を鑑賞すること自体が新たな体験となり、それが人間の感情や思考に影響を与える可能性もあります。その作品が人間のアーティストから来たものでなくても、人間がそれを解釈し、感じ取ることは可能です。

さらに、AIが人間の作家やアーティストの作風を学習して、そのスタイルで新たな作品を作り出す能力も注目に値します。これにより、あるアーティストの作風を愛する人々が、そのアーティストが生涯で作り出せる作品数を超えた新たな作品を楽しむことが可能になるかもしれません。

以上のような観点から見ると、AIが生成する芸術を人間が愛することは十分に可能だと言えます。しかし、それがどの程度人間の芸術体験を補完または置き換えることができるか、そしてそれが我々の芸術に対する理解や価値観をどのように変えていくかは、今後の観察と議論が必要なテーマでしょう。

なかなかの論評だと思うが、いずれにせよ生成ＡＩによる娯楽・コンテンツ産業への進出はまだ始まったばかりであって、最終的にどうなるかはもう少し様子を見ないとわからない。それでも一足早くＡＩの洗礼を受けた業界を見れば、今後の行方を占うヒントが得られるかもしれない。

それは囲碁や将棋など、いわゆる「ボードゲーム」の世界である。

よく知られているように、囲碁では２０１６年、当時世界最強の棋士と目された韓国のイ・セドルがグーグル傘下のディープマインドが開発したＡＩソフト「アルファ碁」に通算１勝４敗で退けられた。

翌２０１７年には、将棋の電王戦で当時の佐藤天彦名人が、ソフト開発者（当時）の山本一成がメインで作り上げたＡＩソフト「ポナンザ」に敗れた。では、彼ら人間のチャンピオンや名人がＡＩに敗れたからといって、それら競技の人気が衰えたであろうか？

そんなことは決してない。

イ・セドルがアルファ碁に敗れた後も、韓国におけるプロ囲碁の人気は相変わらず高いままだ。むしろアルファ碁とチャンピオンとの戦いは囲碁界におけるＡＩの影響と囲碁の未来に対する人々の関心を高めたと見られている。

日本でも将棋の人気は衰えるどころか、彗星のごとく現れた藤井聡太の活躍などから、かつてないほどの活況を呈している。そこにおける将棋ソフトのようなＡＩの役割は、新たな将棋の可能性を示すことによって人間の棋力を強化することだ。

他方で、今や将棋ソフト同士の対戦はそれほど高い関心を集めていない。いや、率直に言えば、大半の人々の関心の枠外にある。つまりファンが手に汗握り応援できるのは、人間の棋士同士が戦う対局だけなのである。

囲碁や将棋もある意味、芸術の一種であろう。そして芸術作品の真の価値は、もしかしたら作品そのものではなく、作品を受け止める鑑賞者の心のなかに宿るのかもしれない。

今後、生成ＡＩがどれほど進化を遂げようと、それだけは変えることができないだろう。

［参考文献］

1 "AI Generated Art for a Comic Book. Human Artists Are Having a Fit," James Hookway, The Wall Street Journal, Jan. 29, 2023

2 "Science Fiction Magazines Battle a Flood of Chatbot-Generated Stories," Michael Lavenson, The New York Times, Feb. 23, 2023

3 「ChatGPT　まるわかり　〝異次元〟ＡＩの衝撃」、NHK News Web、２０２３年４月11日

4 "Will a Chatbot Write the Next 'Succession'?" Noam Scheiber and John Koblin, The New York Times, April 29, 2023

おわりに──ジェフリー・ヒントンの2つの懸念

生成ＡＩは史上最速にして最大の革命を人類にもたらす──本書の執筆を終えた今、筆者はそう確信している。

OpenAIの共同創業者であるサム・アルトマン、グレッグ・ブロックマン、イリヤ・スツケヴァーらは、「国際原子力機関（International Atomic Energy Agency：ＩＡＥＡ）に匹敵する「ＡＩ開発の監督・規制機関」を設けるべきだと主張している。

生成ＡＩのような超先端技術を開発するOpenAIの関係者自らがＡＩ開発の監督・規制を求めるのは若干奇妙な印象も受けるが、そこには恐らく政治的な駆け引きも作用しているのだろう。

本書でも紹介した生成ＡＩによる「フェイクニュースの拡散」や「雇用破壊」などの懸念に対し、今後各国・地域の政府は何らかの監視・規制策などを打ち出してくる。特にＥ

U（欧州連合）の規制策はかなり厳しい内容になりそうだ。

そうであるなら、むしろOpenAI自身が機先を制する形で生成ＡＩの監督・規制を促していくほうが、自らの研究開発やビジネスへの悪影響を最小限に抑えることができる――そのようにアルトマンらは考えたのではなかろうか。

しかし、こうした政治的駆け引きの一方で、OpenAIの創業者らが本気で生成ＡＩの長期的な危険性を憂慮しているのも事実だろう。その監視・規制を求めるに際して、彼らが自社のウェブサイト上に掲載した内容には「人類の存亡に関わるリスクに対し、我々は受動的な姿勢に終始することはできない」と書かれている。

これと同じことは、半世紀以上にわたってニューラルネットの研究開発をリードし、「ＡＩ界のゴッドファーザー」と称されるジェフリー・ヒントンも主張している。

カナダ・トロント大学の教授であるヒントンは、２０１３年からグーグルの研究チームにも参画し、音声検索をはじめさまざまなＡＩ製品の開発に従事してきた。その彼が２０２３年４月、突如グーグルを退社して注目された。理由は「グーグルに気兼ねすることなく、ＡＩの危険性について語れるようにするため」という。

以来、米ニューヨーク・タイムズや日本のＮＨＫをはじめ世界各国のメディア取材に応じ、生成ＡＩなど先端的な人工知能の危険性に警鐘を鳴らしている。

ヒントンは生成ＡＩの短期的な危険性として、（本書でも紹介した）「フェイクニュースの拡散」を挙げている。すでに米国では、野党共和党の広告動画に画像生成ＡＩで製作した「中国が台湾を侵略するシーン」が使われるなど、その兆候が現われている。

また２０２３年5月には、「米国防総省（ペンタゴン）での爆発事件を撮影した」とするフェイク画像がネット上に出回ったが、これも恐らく画像生成ＡＩで製作されたと見られている。

日本でも２０２２年9月、静岡県で水害が発生した際、「ドローンで上空から撮影された洪水の様子」とされる映像がツイッターで拡散したが、これも後日、画像生成ＡＩで製作されたフェイク画像であることが確認された。

すでに事実と虚構の境界線が消失しつつあり、この一点のみでも人類社会が大きな影響を受けることは明らかだろう。

さらに、ヒントンが「ＡＩの長期的な危険性」として挙げるのは、「ＡＩが人間の知的能力を上回った場合、人類を支配しようとしてくる可能性」だ。

これまで彼は、「ＡＩが人類全体の知的能力を凌駕する」とされる「シンギュラリティ（技術的特異点）」などＳＦ的なＡＩ脅威論には懐疑的な姿勢を貫いてきた。それだけに、ここに来てそうした脅威論の支持者へと鞍替えしたことには、ＡＩ関係者の間でも高い関心が集まっている。

ヒントンが最も警戒しているのは、生成ＡＩのベースにある大規模言語モデル（ＬＬＭ）だ。少なくとも、つい数年前まで彼は「ＬＬＭの能力は人間を上回ることはない」と見ていた。

しかし２０２２年にグーグルが開発中の先端ＬＬＭを目の当たりにしたとき、その見方が変わった。それは全面的ではないが、少なくとも一部の知的能力では、人間の脳を上回っていると感じたという。

１９４０〜50年代にかけて、ＬＬＭのようなニューラルネットの原初モデルが開発された当時は、「ニューロン同士の接続部（シナプス）」など本物の脳を多少は参考にしていた。しかし、それ以降長年にわたる研究開発を経て「本物の脳」とは事実上異なる情報処理の仕方で「人工的な知能」を実現するに至った。

つまりＬＬＭのようなＡＩと私達の脳は「異なる種類の知能生成器」であると見るのが

妥当だ。しかし、そのように「脳とは異なるＡＩ」が（一部の分野にせよ）「脳よりも優れた知的能力」を形成するに至ったことはヒントンに衝撃を与えた。

「今から5年前（のＬＬＭ）と今（の実力）を比較してみなさい。このペースでＡＩが成長していったら一体何が起きるのか。（想像するだけでも）怖くなる」とヒントンはニューヨーク・タイムズの記者に語っている。

前述のように彼が「ＡＩは人類を支配しようとしてくる可能性がある」と語るとき、そこにはＬＬＭのような生成ＡＩが、いずれは自意識を育むことを想定しているはずだ。ＡＩに自意識がなければ、どんなに超越的な能力を持っていたとしても、それは所詮「石器」や「刃物」のような道具と本質的に変わりがないからである。単なる道具が人類支配を試みようとするはずがない。

ＬＬＭは人間の意識の源と見られるニューロン（神経細胞）のような生物学的な存在ではなく、単なる数学的なモデルに過ぎない。この点は最先端のトランスフォーマー・モデルになってからも同じだ。「所詮はその程度のＡＩが、人間のような自意識を育むことはあり得ない」と多くの人は思うはずだ。

しかし、ここで指摘したいのが「**創発**（Emergence）」という概念だ。

たとえばグーグルが２０２２年11月に自社ブログで発表した「Characterizing Emergent Phenomena in Large Language Models（大規模言語モデルにおける創発現象の特徴）」というレポートには、創発とは何を意味するかがわかりやすく解説されている。

この報告書によれば、ＬＬＭのトレーニング（機械学習）量やパラメーター数などをどんどん増やしていったとき、それらがある閾値を超えた時点で、急激かつ飛躍的な性能の向上を見せるという。たとえば突如「三段論法的な推論能力」を育んだり、米国の大学院入試に使われる「ＧＲＥ（Graduate Record Examination）」と呼ばれる標準テストの問題を解けるようになったりする。これがＡＩ開発における「創発」と呼ばれる現象だ。

この「創発」とは本来、「生物の進化論」によく出てくるコンセプトだ。

たとえば脳内の電気信号を伝達するニューロンのように個々の要素としては単純なものでも、それらが何十億、何百億個も複雑に絡み合うときに、突如として予想もしないような新しい能力や性格を育む。これが生物や生命現象における創発であり、私達人間が持つ「意識」も生物の進化のプロセスで、脳内のニューロン接続の複雑さがある閾値を超えた段階で現われた創発の一種なのではないか、と見られている。

確かにＬＬＭのような生成ＡＩと私達の脳は異なる種類の知能生成器である。しかし、たとえそうだとしても今後ＡＩがＡＩなりの仕方で進化を遂げるとき、そのメカニズムの複雑さがある閾値を超えた段階で、ある種の意識を育む創発が起きることは十分あり得る――。

ヒントンはそこまで明言していないため、これは正直、筆者の推測に過ぎない。しかし逆にそうでなかったとすれば、「ＡＩが人類を支配するかもしれない」といったヒントンの憂いが生じるとは考え難いのである。

ウェブ上に蓄積された膨大な知識や英知、それればかりかさまざまな偏見や憎悪までも呑み込んで消化吸収する生成ＡＩと、それを生み出した人類は、これまでの生物学的な進化の枠組みを超えて、新たな進化のフェーズに突入したのではないだろうか。

索引

［著者］
小林雅一（こばやし・まさかず）
1963年、群馬県生まれ。作家・ジャーナリスト、KDDI総合研究所・リサーチフェロー、情報セキュリティ大学院大学客員准教授。東京大学理学部物理学科卒業。同大学院理学系研究科を修了後、雑誌記者などを経てボストン大学に留学、マスコミ論を専攻。ニューヨークで新聞社勤務、慶應義塾大学メディア・コミュニケーション研究所などで教鞭を執った後、現職。著書に『ゼロからわかる量子コンピュータ』『仕事の未来～「ジョブ・オートメーション」の罠と「ギグ・エコノミー」の現実』『AIの衝撃～人工知能は人類の敵か』『ゲノム編集とは何か～「DNAのメス」クリスパーの衝撃』（いずれも講談社現代新書）、『「スパコン富岳」後の日本～科学技術立国は復活できるか』（中公新書ラクレ）、『ゲノム編集からはじまる新世界～超先端バイオ技術がヒトとビジネスを変える』（朝日新聞出版）、『AIが人間を殺す日～車、医療、兵器に組み込まれる人工知能』（集英社新書）、『クラウドからAIへ～アップル、グーグル、フェイスブックの次なる主戦場』（朝日新書）などがある。

生成ＡＩ
――「ChatGPT」を支える技術はどのようにビジネスを変え、人間の創造性を揺るがすのか？

2023年７月４日　第１刷発行

著　者――小林雅一
発行所――ダイヤモンド社
〒150-8409　東京都渋谷区神宮前6-12-17
https://www.diamond.co.jp/
電話／03･5778･7233（編集）　03･5778･7240（販売）

ブックデザイン―中ノ瀬祐馬
図表作成――うちきば がんた(G体)
校正――――福田伊佐央、鷗来堂
本文DTP――一企画
製作進行――ダイヤモンド・グラフィック社
印刷――――勇進印刷
製本――――ブックアート
編集担当――横田大樹

ISBN 978-4-478-11818-4